Truman Capote

Crucero de verano

Traducción de Jaime Zulaika

EDITORIAL ANAGRAMA

BARCELONA

Título de la edición original
Summer Crossing
Random House
Nueva York, 2006

Diseño de la colección:
Julio Vivas
Ilustración: foto © Condé Nast Archive / CORBIS

Primera edición en «Panorama de narrativas»: marzo 2006
Primera edición en «Compactos»: enero 2007
Segunda edición en «Compactos»: abril 2007

© EDITORIAL ANAGRAMA, S. A., 2006
 Pedró de la Creu, 58
 08034 Barcelona

ISBN: 978-84-339-7278-1
Depósito Legal: B. 19109-2007

Printed in Spain

Liberdúplex, S. L. U., ctra. BV 2249, km 7,4 - Polígono Torrentfondo
08791 Sant Llorenç d'Hortons

1

−Eres un misterio, querida −dijo su madre, y Grady, desde el otro lado de la mesa, a través de un centro de rosas y helechos, sonrió con indulgencia: sí, soy un misterio, y le agradaba pensarlo. Pero Apple, ocho años mayor que ella, casada y nada misteriosa, dijo:

−Grady es sólo una tonta; ojalá yo te acompañara. ¡Imagínate, mamá, la semana que viene, a esta hora, estarás desayunando en París! George siempre me promete que iremos... Pero no sé.

Hizo una pausa y miró a su hermana.

−Grady, ¿por qué demonios quieres quedarte en Nueva York en pleno verano?

Grady quería que la dejasen tranquila; seguían insistiendo, la mañana misma en que zarpaba el barco: ¿quedaba por decir algo más de lo que ya había dicho? Después de aquello sólo quedaba la verdad, y no tenía del todo la intención de decirla.

—Nunca he pasado un verano aquí —dijo, eludiendo los ojos de ellas, y miró por la ventana: el resplandor del tráfico realzaba el silencio de la mañana de junio en Central Park, y el sol, lleno de joven verano que seca la corteza verde de la primavera, atravesó los árboles que había delante del Plaza, donde estaban desayunando—. Soy terca; haced lo que queráis.

Comprendió con una sonrisa que quizá fuese un error haber dicho esto: su familia, en efecto, no distaba mucho de considerarla terca; y una vez, a los catorce años, había tenido una intuición terrible y muy aguda: vio que su madre la amaba, pero que ella, Grady, no le gustaba de verdad; al principio pensó que era porque su madre la consideraba más fea, más testaruda y menos vivaracha que Apple, pero más tarde, cuando fue patente, y por ello doloroso para Apple, que Grady era mucho más bonita, renunció a razonar sobre el criterio de su madre: la respuesta, por supuesto, y al final ella también acabó entendiéndolo, era simplemente que a ella, a Grady, de una forma pasiva, nunca, ni siquiera cuando era muy pequeña, le había gustado mucho su madre. Sin embargo, había un poco de extravagancia en la actitud de ambas; en efecto, la casa de su hostilidad contenía un modesto mobiliario de afecto, que la señora McNeil expresó ahora cerrando la mano de su hija con la suya y diciendo:

—*Estaremos* preocupados por ti, querida. No po-

8

demos evitarlo. No sé. No sé. No sé muy bien si es seguro. Diecisiete años no son tantos, y hasta ahora nunca has estado sola de verdad.

El señor McNeil, que cada vez que hablaba era como si apostase en una partida de póquer, pero que, de todos modos, rara vez hablaba, en parte porque a su mujer no le gustaba que la interrumpiera y en parte porque era un hombre muy cansado, remojó un puro en su taza de café, acto que arrancó una mueca de desagrado a Apple y a la señora McNeil, y dijo:

—Yo a los dieciocho años..., diablos, ya llevaba tres en California.

—Pero al fin y al cabo, Lamont..., tú eres un hombre.

—¿Qué diferencia hay? —gruñó él—. Desde hace algún tiempo, no hay diferencias entre las mujeres y los hombres. Tú misma lo dices.

La señora McNeil carraspeó, como si la conversación hubiese tomado un sesgo desagradable.

—Lo cual no impide, Lamont, que me marche muy intranquila...

A Grady le ascendía por dentro una risa incontenible, una agitación feliz que convertía el verano blanco extendido ante ella en un lienzo desenrollado donde dibujar esos primeros trazos, puros y toscos, que son libres. Y además se estaba riendo con una cara seria porque ellos sospechaban muy poco; nada. La luz que temblaba contra la plata de la mesa parecía alentar su emoción y a la vez enviarle una señal de aviso: cuidado, niña. Pero en otro lugar algo le dijo a Grady: sé orgullosa, eres alta y por tanto ondea tu banderín muy arriba y al viento. ¿Quién pudo haber dicho eso: la rosa? En algún sitio había leído que las rosas hablan, que son los corazones de la sabiduría. Volvió a mirar por la ventana; la risa emergía de nuevo, le inundaba los labios: ¡qué radiante día soleado para Grady McNeil y las rosas que hablan!

—¿Qué te hace tanta gracia, Grady? —Apple no tenía una voz agradable; recordaba el balbuceo ininteligible de un bebé de mal carácter—. Mamá te hace una pregunta sencilla y tú te ríes como si fuera idiota.

—Seguro que Grady no piensa que soy idiota —dijo la señora McNeil, pero su tono de débil convicción indicaba duda, y sus ojos, tamizados por el velo del sombrero que, como una telaraña, ahora se bajó sobre la cara, delataban la confusión tenue del escozor que siempre la invadía al afrontar lo que consideraba el desprecio de Grady. Estaba muy bien que entre ellas no hubiese más que el contacto mínimo: sabía que no existía entendimiento; aun así, era inaguantable que Grady, con su aire distante, insinuase que era superior; en momentos así, a la señora McNeil le temblaban las manos. Una vez, pero esto había sido hacía muchísimos años y cuando Grady era todavía un chicazo con el pelo corto y las rodillas peladas, no pudo controlarlas, las ma-

10

nos, y en aquella ocasión, que fue, por supuesto, durante ese período que es el que más pone a prueba los nervios en la vida de una mujer, ella, provocada por la desconsiderada altanería de Grady, le cruzó la cara con un bofetón feroz. Después, cada vez que había sentido impulsos similares, serenaba las manos sobre alguna superficie sólida, porque el día en que se descontrolaron Grady, con sus inquisitivos ojos verdes que eran como pedazos de mar, la miró de arriba abajo, la traspasó con la mirada e iluminó con un foco el espejo estropeado de sus vanidades: como era una mujer limitada, fue su primera experiencia con una fuerza de voluntad más recia que la suya–. Seguro que no –dijo, irradiando un humor artificial.

–Perdona –dijo Grady–. ¿Me has preguntado algo? Es como si ya no oyera.

Procuró que la última frase sonara menos a disculpa que a confesión seria.

–La verdad –gorjeó Apple–, se diría que estás enamorada.

Grady sintió un fuerte impacto en el corazón, una sensación de peligro, la plata se estremeció, trascendental, y una rodaja de limón, medio exprimido por el dedo de Grady, se inmovilizó: lanzó una rápida mirada a los ojos de su hermana para ver si había en ellos un destello más sagaz que estúpido. Satisfecha, terminó de exprimir el limón en el té y oyó decir a su madre:

–Es sobre el vestido, querida. Creo que también podría encargarlo en París: Dior o Fath, alguien así. Incluso a la larga podría resultar más barato. Un verde manzana suave quedaría divino, sobre todo con tu tez y tu pelo…, aunque debo decir que me gustaría que no lo llevases tan corto: parece impropio y no… no del todo femenino. Es una lástima que las debutantes no puedan vestir de verde. Pero creo que un moaré blanco…

Grady la interrumpió, frunciendo el ceño.

–Si es el vestido de la fiesta, no lo quiero. No quiero una fiesta, y no tengo intención de ir a ninguna, no a una de ésas, en cualquier caso. No pienso hacer el ridículo.

De todas las cosas que la fatigaban, esto era lo que más disgustaba y ponía a prueba a la señora McNeil: tembló como si unas vibraciones anómalas sacudieran el recinto cuerdo y estable del comedor del Plaza. Tampoco yo quiero hacer el ridículo, podría haber dicho, porque a la hora de organizar el año de la presentación de Grady en sociedad, ya había hecho no pocas maniobras: incluso se barajó la idea de contratar a una secretaria. Además, y en una vena de superioridad moral, habría podido llegar hasta el extremo de decir que había soportado toda su vida social, cada almuerzo insulso y cada té tedioso (pues con estos tintes los describía), con el propósito de que sus hijas recibieran una acogida deslumbrante el año de su puesta de largo. El baile de debutantes de la propia Lucy McNeil había sido un acontecimiento famoso y sentimental: su abuela, una beldad justamente célebre que se había casado con LaTrotta, senador de Carolina del Sur, presentó en bloque a Lucy y a sus dos hermanas en un Baile de la Camelia celebrado en Charleston, en abril de 1920; fue una auténtica presentación, pues las tres hermanas LaTrotta no eran más que unas colegialas cuyas aventuras sociales habían sido emprendidas hasta entonces dentro de los grilletes de una iglesia; tan ávidos habían girado los pies de Lucy aquella noche que exhibieron durante días las magulladuras de su entrada en la vida, y con tal ansia había besado al hijo del gobernador que las mejillas le ardieron un mes de vergüenza contrita, porque sus hermanas –solteronas entonces y solteronas aún– afirmaban que los besos producían bebés; no, dijo la abuela, al oír la llorosa confesión de Lucy, los besos no hacen bebés, pero tampoco hacen damas. Aliviada, prosiguió viviendo su año de triunfo; fue un triunfo porque era una chica de buen ver y no insoportable de escuchar: ingentes ventajas si se recordaba que aquélla había sido la temporada exigua en que el grupo de jóvenes sólo pudo elegir entre frutas tan agrias como Hazel Veere Numland o las chicas Lincoln. Luego, además, en las vacaciones de invierno, la familia de su madre –los Fairmont de Nueva York– había dado un baile selecto en honor de Lucy y en aquel mismo hotel, el Plaza; aun cuando ahora, sentada tan cerca

13

de aquel escenario, intentaba recordar, pocos recuerdos revivió al respecto, salvo que todo era de color oro y blanco, que había lucido las perlas de su madre y, ah, sí, que había conocido a Lamont McNeil, un suceso anodino: bailó con él una vez y no le impresionó nada. A su madre sí, por el contrario, pues Lamont McNeil, aunque un desconocido en sociedad, y aunque apenas llegaba a la treintena, proyectaba sobre Wall Street una sombra cada vez más grande y en consecuencia se le consideraba un buen partido, si no en el círculo de los ángeles, al menos entre quienes pertenecían a un estrato ligeramente inferior. Le invitaron a cenar. El padre de Lucy le invitó a cazar patos en Carolina del Sur. *Varonil*, comentó la magnífica y vieja señora LaTrotta y, como tal fue su dictamen, le otorgó el sello de oro. Siete meses después, Lamont McNeil, emitiendo el temblor más tierno de su voz de póquer, recitó su libreto y Lucy, tras haber recibido sólo otras dos proposiciones, una absurda y la otra una chanza, dijo oh, Lamont, soy la chica más feliz del mundo. Tenía diecinueve años cuando dio a luz a su primogénita: la llamó Apple, cómicamente, porque durante el embarazo Lucy McNeil había comido manzanas a mansalva, pero su abuela, que asistió al bautizo, consideró que era una frivolidad escandalosa: el jazz y los años veinte, dijo, se le habían subido a Lucy a la cabeza. Pero la elección de aquel nombre fue el último signo de admiración alegre de una infancia prolongada, pues al año

14

siguiente perdió al segundo bebé, un varón que nació muerto y al que llamó Grady en recuerdo de su hermano, muerto en la guerra. Lucy rumió largo tiempo esta pérdida, Lamont alquiló un yate e hicieron un crucero por el Mediterráneo; en cada radiante puerto de color pastel, de St. Tropez a Taormina, Lucy dio a bordo tristes y lacrimosas fiestas con helados para grupos de vergonzosos chicos lugareños a los que el camarero reclutaba en tierra. Pero cuando el matrimonio regresó a Norteamérica se disipó de golpe aquella niebla luctuosa: Lucy descubrió la Cruz Roja, Harlem, la oferta y la demanda, adquirió un interés profesional por Trinity Church, el Cosmopolitan, el Partido Republicano, y no había nada que no patrocinase, en lo que no participara o a lo que no aportase algo. Algunos decían que era una mujer admirable, otros que valiente, unos pocos la despreciaban. Sin embargo, estos pocos formaban una camarilla enérgica, y al cabo de los años su fuerza combinada había saboteado una docena de ambiciones de Lucy. Ella había aguardado; había aguardado a Apple: la madre de una debutante de máxima categoría tenía en sus manos la versión social de una venganza atómica; pero luego se la arrebataron porque estalló una nueva guerra y el mal gusto de un debut en tiempo bélico habría sido excesivo: en vez de organizar el baile, donaron una ambulancia a Inglaterra. Y ahora Grady también trataba de engañarla. Las manos de Lucy enredaban en la mesa, volaban a

15

la solapa de su traje, tiraban de un broche de diamantes ligeramente amarillentos: era demasiado, Grady siempre había intentado engañarla: simplemente, y de entrada, no naciendo chico. De todas formas, ella la había llamado Grady y la pobre señora LaTrotta, por entonces en el último año exasperado de su vida, se había enfurecido tanto que declaró que Lucy era una morbosa. Pero Grady nunca había sido Grady, el hijo que ella quería. Y a este respecto no podía decirse que Grady quisiera ser ideal: Apple, con sus monerías juguetonas, y guiada por el sentido que Lucy tenía del estilo, habría sido un éxito garantizado, pero con Grady, que, para empezar, no parecía popular entre los jóvenes, se corría un albur. El fracaso era seguro si se negaba a colaborar.

–*Habrá* una puesta de largo, Grady McNeil –dijo, estirándose los guantes–. Llevarás seda blanca y un racimo de orquídeas verdes: resaltarán un poco el color de tus ojos y tu pelo rojo. Y tocará la orquesta que los Bell contrataron para Harriet. Te lo advierto desde ahora, Grady: si me echas a perder la fiesta no volveré a hablarte nunca. Lamont, ¿quieres pedir la cuenta, por favor?

Grady guardó unos momentos de silencio; sabía que los demás no estaban tan serenos como parecía: aguardaban de nuevo a que se sulfurase, lo que demostraba lo inexactas que eran sus observaciones sobre ella y hasta qué punto desconocían su personalidad reciente. Uno, dos meses antes, si ella hubiese sentido que ofendían su dignidad de aquel modo, habría salido disparada y habría enfilado su coche hacia la carretera del puerto con el pedal del acelerador a fondo; se habría encontrado con Peter Bell y habría sofocado la rabieta en alguna taberna del trayecto; habría preocupado a su familia. Pero Grady sentía ahora una desinhibición sincera. Y, hasta cierto punto, comprendía las ambiciones de Lucy. Aquello aún estaba muy lejos, a un verano de distancia; no había razón para creer que llegara a suceder, un vestido de seda blanco y la orquesta que los Bell contrataron para el baile de Harriet. Mientras el señor McNeil pagaba la cuenta y ellas cruzaban el comedor, enlazó el brazo de su madre y con una desmaña de potranca le dio un beso delicado y espontáneo en la mejilla. El gesto surtió el efecto súbito de unirlos a todos; eran una familia: Lucy resplandeció, estaba orgullosa de su marido y sus hijas, y Grady, a pesar de su terca excentricidad, dijeran lo que dijesen, era una maravilla de chica, una auténtica persona.

–Cariño –dijo Lucy–, voy a echarte de menos.

Apple, que caminaba delante, se volvió:

–¿Has venido en tu coche esta mañana, Grady?

Grady tardó en responder; en los últimos tiempos, todo lo que decía Apple le inspiraba recelo, pero ¿qué importaba, en realidad? ¿Y qué si Apple lo sabía? Con todo, prefería que no lo supiese.

–He cogido el tren en Greenwich.

–¿O sea que has dejado el coche en casa?

–Bueno, ¿y qué más da?

–No; bueno, sí. Y no hace falta que me ladres. Sólo pensaba que podrías llevarme a Island. Le prometí a George que pasaría por el apartamento a recoger su enciclopedia; pesa toneladas. Sería una lata llevarla en el tren. Si llegáramos temprano podrías ir a nadar.

–Lo siento, Apple. El coche está en el taller. Lo dejé allí el otro día porque se bloqueó el velocímetro. Supongo que ya estará arreglado, pero es que tengo una cita en el centro.

–¿Sí? –dijo Apple, con fastidio–. ¿Puedo preguntar con quién?

A Grady le supo a cuerno quemado, pero respondió:

–Con Peter Bell.

–Peter Bell, Dios mío, ¿por qué le sigues viendo? Se cree tan inteligente.

–Lo es.

–Apple –dijo Lucy–, los amigos de Grady no son de tu incumbencia. Peter es un chico encantador, y su madre fue una de mis damas de honor. Lamont, ¿te acuerdas? Ella cogió el ramo. Pero ¿no estaba Peter todavía en Cambridge?

Justo entonces Grady oyó que alguien gritaba su nombre desde el otro extremo del vestíbulo: «¡Eh, hola, McNeil!» Sólo una persona en el mundo la llamaba así y, con un placer fingido, pues no era el momento más oportuno para que él hiciera su aparición, Grady vio que era Peter. Joven, vestido con ropa cara pero incorrecta (llevaba una corbata blanca de etiqueta con un traje austero de franela cuyos pantalones sujetaba un cinturón del lejano oeste con adornos impropios, y calzaba un par de zapatillas deportivas), estaba recogiendo el cambio en el mostrador de los cigarros puros. Al dirigirse hacia Grady, que ya había recorrido la mitad del camino hacia él, caminaba con la gracia desenvuelta de quien espera conocer siempre las mejores cosas de la vida.

–Estás bonita, McNeil –dijo, y le dio un abrazo campechano–. Pero no tanto como yo: vengo de la barbería.

Lo atestiguaba la lozanía impecable de su cara limpia, de facciones agraciadas; y el corte de pelo reciente le prestaba ese aire de inocencia indefensa que sólo puede dar un corte de pelo.

Grady le asestó un alegre empujón de marimacho.

–¿Por qué no estás en Cambridge? ¿O es que las leyes son aburridísimas?

–Son una pesadez, pero no tanto como mi familia cuando les diga que me han puesto de patitas en la calle.

–No te creo –se rió Grady–. Aun así, quiero que me lo cuentes todo. Sólo que ahora tenemos muchísima prisa. Mamá y papá se van a Europa y voy a despedirles al barco.

–¿Puedo ir yo también? Por favor, señorita.

19

Grady vaciló y después llamó:

–Apple, dile a mamá que Peter viene con nosotros.

Y Peter Bell se puso el pulgar en la punta de la nariz, para burlarse de Apple sin que ella le viese, y corrió a la calle para llamar a un taxi.

Necesitaron dos; Grady y Peter, que aguardaron para recoger del guardarropa al pequeño dachshund bizco de Lucy, se subieron al segundo. Tenía una abertura en el techo: bandadas de palomas, nubes y torres se desplomaban sobre ellos; el sol, disparando flechas con punta de verano, producía un tintineo en el color de centavo nuevo del pelo corto de Grady, y el soplo de luz meliflua arrebolaba su cara flacucha y ágil, modelada con huesos tan delicados como las espinas de un pez.

–Si alguien pregunta –dijo, encendiéndole el cigarrillo a Peter–, Apple o quien sea, por favor di que tenemos una cita.

–¿Es una maña nueva, esto de encender el cigarrillo a un caballero? Y ese encendedor, McNeil, ¿de dónde lo has sacado? Qué espanto.

En efecto, lo era. Sin embargo, ella no lo había juzgado así hasta aquel momento. Hecho de espejo, y con una inicial enorme, cubierta de lentejuelas, era la clase de novedad que vendían en los mostradores de los drugstores.

–Lo compré –dijo ella–. Funciona de maravilla. De todos modos, ¿te acordarás de lo que acabo de decirte?

–No, mi amor, no lo compraste. Lo intentas con toda tu alma, pero me temo que en realidad no eres tan vulgar.

–Peter, ¿te burlas de mí?

–Por supuesto –se rió él, y ella le tiró del pelo, riéndose también. Aunque no eran parientes, estaban emparentados, no por la sangre sino porque congeniaban: era la amistad más feliz que ella conocía, y con él se sentía siempre relajada, como en el calor y la seguridad de un baño.

–¿Por qué no iba a burlarme de ti? ¿No es lo que haces conmigo? No, no lo niegues. Estás tramando algo y no vas a decírmelo. Da igual, querida, no voy a darte la monserga ahora. Y respecto a la cita, ¿por qué no? Lo que sea para esquivar a mis padres angustiados. Sólo que me las pagarás todas juntas: a fin de cuentas, ¿para qué gastar dinero en ti? Preferiría trotar alrededor de mi querida hermana Harriet; ella, por lo menos, lo sabe todo de astronomía. Por cierto, ¿sabes lo que ha hecho la muy sosa? Se ha ido a Nantucket a pasar el verano estudiando las estrellas. ¿Ése es el barco? ¿El *Queen Mary?* Y yo que tenía tantas esperanzas de que fuera algo divertido, como un petrolero polaco. Habría que gasear al que concibió esa ballena nauseabunda; los irlandeses tenéis toda la razón: los ingleses son horrorosos. Aunque también los franceses. El *Normandie* tardó demasiado en incendiarse. Aun así, yo no viajaría en un buque americano aunque me dieras...

Los McNeil estaban en la cubierta A, en una suite de habitaciones barnizadas y con chimeneas falsas. Lucy, con orquídeas recién llegadas temblando en el ojal, iba de un lado para otro, perseguida por Apple, que le leía en voz alta las tarjetas que acompañaban a los obsequios de flores y frutas. La secretaria del señor McNeil, la majestuosa señorita Seed, pasó entre ellas con una botella de Piper-Heidsieck y una expresión de vago desprecio por la incongruencia del champán por la mañana (Peter Bell le dijo que no se molestase en buscar una copa, que él se tomaría lo que quedase de la botella), y el propio Lamont McNeil, solemnemente halagado, desalentaba desde la puerta a un hombre que televisaba a viajeros importantes:

—Lo siento, amigo..., he olvidado el maquillaje, ja, ja.

Los chistes de Lamont sólo les gustaban a otros hombres y a la señorita Seed: y esto último, según decía Lucy, porque Seed estaba enamorada de él. El dachshund desgarró las medias de una fotógrafa que en un fogonazo captó a Lucy en su postura más rígida de fotograbado:

—¿Qué vamos a hacer en el extranjero? —dijo Lucy, repitiendo la pregunta de la periodista—. Pues no lo sé muy bien. Tenemos una casa en Cannes donde no hemos estado desde la guerra; supongo que pasaremos por allí. Y compras; iremos de compras, por supuesto. —Carraspeó, azorada—. Pero sobre todo es el viaje en barco. No hay nada como un crucero de verano para cambiar de ánimo.

Tras incautarse del champán, Peter Bell se llevó a Grady y a través de los bares subieron a la cubierta al aire libre, donde los pasajeros, que desfilaban con sus tarjetas de parabienes contra el perfil recortado de la ciudad, ya se paseaban ufanos, como si estuvieran mecidos por el océano. Un niño solitario, con semblante triste, volaba cometas de confetis desde la borda: Peter le ofreció un trago de champán, pero la madre del niño, una mujerona enorme, de una corpulencia insólita, se acercó con pasos atronadores y los ahuyentó hasta la cubierta donde estaban las perreras.

—Madre mía —dijo Peter—. Las casetas de perros: parece nuestro destino caer siempre tan bajo.

Se acurrucaron juntos en un redondel de sol tan escondido como el refugio de un polizón; patético, anhelante, resonó un bramido de las chimeneas y Peter dijo que sería maravilloso quedarse dormidos y despertar en alta mar, bajo las estrellas. Unos años antes, cuando recorrieron juntos las costas de Connecticut, contemplando el Sound, habían pasado días enteros ideando tramas complejas y agónicas: Peter siempre adoptaba un serio entusiasmo, parecía creer a pies juntillas que una balsa de goma les llevaría hasta España, y algo de aquella antigua nota tembló en su voz de ahora:

–Supongo que es una suerte que ya no seamos niños –dijo, repartiendo entre los dos lo que quedaba de la botella–; la verdad es que era tristísimo. Pero ojalá fuéramos todavía lo bastante niños para quedarnos en este barco.

Grady, estirando sus morenas piernas desnudas, movió la cabeza.

–Yo nadaría hasta la orilla.

–Quizá ya no esté tan al corriente de tus cosas como antes. He estado fuera muchísimo tiempo. Pero ¿cómo has podido rechazar Europa, McNeil? ¿O soy un grosero? Quiero decir, ¿me estoy inmiscuyendo en tu secreto?

–No hay ningún secreto –dijo ella, en parte crispada y en parte aliviada por el conocimiento de que quizá sí lo hubiese–. No uno auténtico. Es más bien, bueno, una intimidad, una pequeña intimidad que me gustaría reservarme algún tiempo más, oh, no para siempre, sino una semana, un día, unas cuantas horas; ya sabes, como un regalo que guardas escondido en un cajón: lo entregarás enseguida, pero lo quieres entero para ti durante un rato.

A pesar de lo inexperta que había sido esta manera de expresar lo que sentía, escrutó la cara de Peter, convencida de que vería en ella un reflejo de su comprensión inveterada; pero sólo encontró una inexpresividad alarmante; Peter parecía apagado, como si la repentina exposición al sol le hubiese absorbido todo el color, y poco después, consciente de que no había oído nada de lo que ella había dicho, Grady le dio un golpecito en el hombro.

—Estaba pensando —dijo él, con un parpadeo—, estaba pensando en si, al fin y al cabo, la impopularidad no será una recompensa.

Era una pregunta que tenía su miga; pero como Grady conocía la respuesta gracias a la propia vida de Peter, la sorprendió y hasta la escandalizó que preguntara aquello con tanta nostalgia y, en realidad, incluso el hecho de que se lo preguntara. Era verdad que Peter nunca había sido popular, ni en la escuela ni en el club ni con la gente que los dos estaban, como él decía, condenados a conocer; y, sin embargo, esta condena misma era lo que les había unido, porque Grady, a quien le daba igual una cosa que otra, amaba a Peter y se le había unido en su reino exterior como si perteneciese a éste por igual motivo que él: Peter, desde luego, le había demostrado que ella suscitaba tan pocas simpatías como él: eran demasiado selectos, la época de la adolescencia no les era propicia, Peter decía que serían apreciados en el futuro. Grady nunca se había preocupado a este respecto; en este sentido, al recapacitar sobre lo que ahora parecía un problema ridículo, veía que ella nunca había sido impopular, sino que simplemente no se había esforzado ni había sentido de una forma profunda que agradar a los demás fuese importante.

A Peter, por el contrario, le había preocupado sobremanera. A lo largo de la infancia, ella le había ayudado a construir un castillo de arena protector, por muchas corrientes de aire a las que estuviera expuesto. Los castillos así debían sufrir los procesos de deterioro naturales y felices. Era realmente extraordinario que para Peter todavía existiesen. Si bien Grady aún se servía de su archivo común de referencias cómicas privadas, de las tristes anécdotas y las tiernas palabras acuñadas por ellos, no quería saber nada del castillo: ¿no se daba cuenta Peter de que la hora de los aplausos, el momento dorado que él había prometido transcurrían ahora?

—Ya sé —dijo, como si hubiera adivinado el pensamiento de Grady y le diese la réplica—. Sin embargo. —Ya sé. Sin embargo. Peter suspiró al decir este lema—. Supongo que te habrás figurado que era una broma. Pero no, me han puesto de patitas en la calle, no por decir algo incorrecto, sino quizá por todo lo contrario: parece que las dos cosas son censurables. —La exuberancia que tan bien le sentaba recompuso su cara de pícaro—. Me alegro por ti —dijo, de una forma inexplicable, pero con tal efusión de cariño que Grady apretó la mejilla contra la de Peter—. Si dijera que estoy enamorado de ti sería incestuoso, ¿no, McNeil?

Por todo el barco sonaban gongs instando a los visitantes a que bajaran a tierra, y cenizas de sombra, vertidas por súbitas pantallas de nubes, se amontonaron en la cubierta. Grady, por un instante, sintió la más extraña de las pérdidas: pobre Peter, comprendió que la conocía aún menos que Apple y, no obstante, como era su único amigo, quería decírselo: no entonces, sino en algún otro momento. ¿Y qué diría él? Como era Peter, ella confiaba en que la amase más: si no, que el mar usurpase su castillo, no el que habían construido para protegerse de la vida, que ya había desaparecido, al menos para ella, sino otro, el que resguardaba amistades y promesas.

Cuando el sol salió a raudales, Peter se levantó, ayudó a Grady a ponerse de pie y dijo:

—¿Y adónde iremos a bailar esta noche?

Pero ella, que a cada instante estaba a punto de explicarle que no podía salir con él, de nuevo dejó pasar la ocasión porque, cuando bajaban la escalera, un camarero, dorado por el brillo del gong, les repitió que debían desembarcar y, más tarde, con el alboroto de la despedida a Lucy, Grady lo olvidó por completo.

Agitando un pañuelo y abrazando a sus hijas a intervalos, Lucy las siguió hasta la pasarela; en cuanto las hubo acompañado hasta el túnel de lona, corrió a la cubierta para otear su reaparición al otro lado de la valla verde; cuando vio a los tres agolpados y mirando con ojos deslumbrados, empezó a mover el pañuelo para indicarles dónde estaba, pero el brazo sufrió una debilidad extraña y, asaltada por una sensación de inconclusión culpable, de no haber completado algo, de haber dejado algo sin hacer, dejó caer el pañuelo hacia un lado. Se lo llevó a los ojos, con semblante serio, y la imagen de Grady (¡ella la amaba! Dios era testigo de que había amado a Grady tanto como la niña se lo permitía) burbujeó borrosa; eran tiempos de congoja, tiempos difíciles, y aunque Grady era tan distinta de ella como ella lo había sido de su madre, testaruda y más recia, aún no era una mujer, sino una chica, una niña, y era un error terrible, no podía abandonarla allí, no podía abandonar a su niña incompleta, inacabada, tenía que darse prisa, tenía que decirle a Lamont que no podían partir. Pero antes de que pudiera moverse, él ya la había rodeado con sus brazos; Lamont decía adiós con la mano a sus hijas; y de pronto Lucy también agitó la mano.

2

Broadway es una calle; es también un barrio, una atmósfera. Desde que tenía trece años, y durante todos aquellos inviernos en las clases de la señorita Risdale, Grady había realizado, aunque ello significara hacer novillos, expediciones secretas y semanales a aquella atmósfera, cuya atracción al principio habían sido los conciertos de bandas en la Paramount, el Strand, películas curiosas que nunca se proyectaban en los cines al este de la Quinta o en Stamford y Greenwich. En el último año, sin embargo, sólo le gustaba pasear por allí o pararse en chaflanes rodeada por el gentío que pasaba. Se quedaba toda la tarde y a veces hasta que había anochecido. Pero allí nunca oscurecía: las luces que habían estado encendidas todo el día se tornaban amarillas al atardecer y blancas por la noche, y entonces las caras, aquellas caras ensoñadas, le revelaban más cosas que nunca. El anonimato formaba parte del placer, pero aun cuando no fuese ya Grady McNeil, no sabía quién era la que la había suplantado, y las llamas más altas de la emoción ardían con un combustible al que no sabía darle un nombre. Nunca se lo contaba a nadie, aquellos negros perfumados y con ojos de nácar, aquellos hombres con camisas de seda o de marinero, rudos o de dientes pálidos, y con un traje de color espliego, aquellos hombres que miraban, sonreían, la seguían: ¿hacia dónde vas? Algunas caras, como la de la mujer que cambiaba dinero en los salones de tragaperras, no pertenecen a ninguna parte, son sombras verdes debajo de viseras verdes, efigies vespertinas, balsámicas y flotantes en un aire dulzón de caramelo. Deprisa. Megáfonos en puertas que escupen frenéticos, tristes estruendos rítmicos, que aceleran los sentidos hasta el colapso: corre, sal de la blancura a lo real, a la oscuridad alegre y sin sexo, sin bullicio: a nadie le hablaba de aquellos terrores cautivadores.

En una callejuela que salía de Broadway, no lejos del Roxy Theatre, había un parking al aire libre. Un solar solitario y de aspecto yermo, constituía el único espacio importante en una manzana de tiendas de palomitas de maíz y comercios de tortugas. Había un letrero en la entrada que decía PARKING NEMO. Era caro y poco práctico, en conjunto, pero aquel año, meses antes, después de que los McNeil cerraran su apartamento y abrieran la casa de Connecticut, Grady había empezado a dejar su coche allí siempre que iba a la ciudad.

Cierto día de abril, un joven comenzó a trabajar en el parking. Se llamaba Clyde Manzer.

Antes de que Grady llegase al parking ya le estaba buscando: las mañanas insulsas, él se daba una vuelta por el vecindario o se sentaba a tomar café en un Automat del barrio. Pero no lo vio en ninguna parte; tampoco lo encontró cuando entró en el parking. Era mediodía y la grava despedía un olor caliente a gasolina. Aunque era evidente que él no estaba allí, ella cruzó el solar llamándole por su nombre, con voz impaciente; pareció que el alivio de la travesía marítima de Lucy, el año o la hora que ella había esperado para verle, todas las cosas que la habían animado durante la mañana, se derrumbaban de golpe a sus pies; al final desistió y guardó un silencio abatido en el resplandor vibrante. Después recordó que a veces él echaba una siesta en alguno de los coches.

El de ella, un Buick azul descapotable, con sus iniciales en la matrícula de Connecticut, era el último de la fila, y mientras aún buscaba, varios coches más allá, comprendió que le encontraría allí. Estaba dormido en el asiento trasero. Aunque la capota estaba bajada, no le había visto porque estaba hecho un ovillo y quedaba oculto. En la radio sonaba el débil zumbido del noticiario, y Clyde tenía en las rodillas una novela policíaca abierta. Una de las muchas magias que existen es la de observar cómo duerme alguien a quien amamos: sin ojos e inconsciente, por un momento te adueñas de su corazón; indefenso, es entonces, por irracional que sea, todo lo que esperabas que fuese: puro como un hombre, tierno como un niño. Grady se inclinó para mirarle y el pelo le tapó un poco los ojos. El joven al que miraba, y que tendría unos veintitrés años, no era guapo ni feo; habría sido difícil caminar por Nueva York sin ver a alguien parecido a cada trecho, pero como se pasaba todo el día a la intemperie estaba mucho más curtido que la mayoría de la gente. Tenía, no obstante, un aire de flexibilidad fornida, y el pelo, negro y con ricitos, se le ajustaba como una pulcra gorra de cordero persa. La nariz ligeramente rota prestaba a su cara, que, con su arrebol rústico, no carecía de cierta fuerza inteligente, una virilidad exagerada. Le temblaron los párpados y Grady, sintiendo que el corazón del joven se le resbalaba entre los dedos, aguardó tensa a que se abrieran.

–Clyde –susurró.

No era su primer amante. Dos años antes, a los dieciséis, cuando por primera vez dispuso del coche, recorrió Connecticut acompañada de una joven pareja de neoyorquinos reservados que buscaban una

32

casa. Cuando la encontraron, una casita encantadora en el terreno de un club de campo y al lado de un pequeño lago, la pareja, los Bolton, ya profesaba un gran afecto a Grady, la cual, por su parte, parecía obsesionada: supervisó la mudanza, diseñó el jardín con rocas, les encontró una criada y los sábados jugaba al golf con Steve o le ayudaba a segar la hierba: Janet Bolton, una chica bonita, callada e inofensiva, recién salida de Bryn Mawr, estaba embarazada de cinco meses y en consecuencia era reacia a realizar grandes esfuerzos. Steve era abogado y, como trabajaba en una empresa que tenía negocios con el padre de Grady, los Bolton eran invitados asiduos en Old Tree, el nombre con que los McNeil habían dignificado las hectáreas de su finca: Steve utilizaba su piscina y las pistas de tenis, y Lamont McNeil le había dado más o menos por su cuenta una casa que había pertenecido a Apple. Peter Bell estaba bastante perplejo, al igual que los otros pocos amigos de Grady, porque ella sólo veía a los Bolton o, tal como ella misma lo entendía, sólo veía a Steve; y si bien todo el tiempo que pasaban juntos no era suficiente, Grady se acostumbró a tomar con él de vez en cuando el tren a la ciudad, y vagaba de un cine de Broadway a otro, haciendo tiempo para tomar con él el tren de vuelta a casa por la noche. Aun así, no estaba en paz consigo misma; no comprendía por qué el primer júbilo que había sentido se había convertido primero en dolor y luego en desdicha. Él lo sabía. Ella estaba segura de que lo sabía; los ojos de Steve, que la observaban cuando ella cruzaba una habitación o nadaba hacia él en la piscina, aquellos ojos sabían y no estaban descontentos de saberlo; así, junto con el amor, ella aprendió algo de odio, pues Steve Bolton lo sabía y no hacía nada por ayudarla. Entonces todos los días eran adversos, un hormigueo constante, el pellizco de unas alas de luciérnaga, las cóleras, o eso parecían, contra todo lo que estaba tan desamparado como ella misma, desvalida y despreciada. Y se aficionó a llevar los vestidos más ligeros que encontraba en las tiendas, tan finos que cada sombra de hoja y cada onda de viento eran de un frescor acariciante; pero no comía, sólo le gustaba beber Coca-Cola, fumar cigarrillos y conducir su coche, y se quedó tan plana y flacucha que sus vestidos livianos flotaban a su alrededor.

Steve Bolton tenía por costumbre nadar antes del desayuno en el pequeño lago contiguo a la casa, y Grady, que lo había descubierto, no se lo podía quitar de la cabeza: al despertar por la mañana se lo imaginaba en la orilla del lago, plantado entre los juncos como un pájaro del alba, dorado y desconocido. Una mañana fue al lago. Un pequeño pinar crecía cerca y allí se escondió, tumbada de bruces sobre las agujas húmedas de rocío. Una penumbra de niebla otoñal se cernía sobre el agua: él no acudiría, por supuesto, ella lo había postergado demasiado, el verano había transcurrido sin que ella se hubiese

34

percatado siquiera. Entonces lo vio en el sendero: despreocupado, silbando, con un cigarrillo en una mano y una toalla en la otra; sólo llevaba un albornoz que se quitó al llegar al lago y lanzó sobre una roca. Fue como si la estrella de Grady hubiera caído y al contacto con la tierra no se tornase negra, sino que ardiera más azulada aún: medio arrodillada, con los brazos extendidos hacia fuera, como para tocarle, para saludarle mientras él se adentraba en el agua y se volvía tan alto, le pareció a ella, como en un cuento de hadas, y se alargaba hacia Grady hasta que, casi sin previo aviso, se sumergió por debajo de los juncos: a Grady, a pesar de todo, se le escapó un grito, retrocedió contra un árbol y lo abrazó como si fuera un fragmento del amor de Steve, una porción de su esplendor.

El bebé de Janet Bolton nació al final de la estación: la semana otoñal, punteada de coloridos faisán, antes de que los McNeil cerrasen Old Tree y regresaran a sus cuarteles de invierno en la ciudad. Janet estaba bastante desesperada; en dos ocasiones había estado a punto de perder al bebé y su enfermera, después de haber ganado una especie de concurso de baile, se había vuelto cada vez más irreverente: la mayoría del tiempo no se tomaba la molestia de aparecer y, de no haber sido por Grady, Janet no habría sabido qué hacer. Grady aparecía, preparaba un pequeño almuerzo y hacía una limpieza rápida en la casa; había un quehacer que ella abordaba siempre con euforia: a saber, le gustaba recoger la colada de Steve y colgar su ropa. El día en que nació el bebé, Grady encontró a Janet doblada en dos y chillando. Siempre que tenía ocasión de hacerlo, Grady se sorprendía de lo mucho que ella misma se preocupaba en realidad por Janet: una persona insignificante, como una concha de mar que alguien recoge y que conserva para admirar su barroca perfección nacarada, pero no la coloca entre sus tesoros serios de coleccionista. La nimiedad era tanto el encanto como la protección de Janet, porque para Grady era imposible considerarla una amenaza o tener celos de ella. Pero la mañana en que Grady entró y la oyó gritar experimentó una satisfacción que, aun sin ánimo de ser cruel, al menos le impidió precipitarse a prestarle ayuda, pues era como si todos los tormentos que ella misma conocía se vieran triunfalmente plasmados en aquellos momentos angustiosos de Janet Bolton. Cuando por último se forzó a hacer lo necesario lo hizo todo muy bien: llamó al médico, llevó a Janet al hospital y telefoneó a Steve a Nueva York.

Él tomó el siguiente tren; pasaron juntos una tarde intranquila en el hospital; llegó la noche y aún no había noticias, y Steve, que había logrado intercambiar algunas bromas con Grady, jugar una partida de cartas, se retiró a un rincón y dejó que el silencio se instaurase entre ellos. El tedioso desespero de los horarios de tren, el trabajo y las facturas que pagar parecían desprenderse de él como un polvo cansado, y allí sentado exhalaba anillos de humo, ceros tan huecos como Grady había empezado a sentirse..., fue como si se alejara de él en una voluta que ascendía en el aire, como si la imagen del lago que tenía de Steve se retirase para dejar paso a otra visión real, a una imagen que le pareció la más conmovedora de todas, pues con los hombros caídos de extenuación y la lágrima que le asomaba al rabillo del ojo, Steve pertenecía a Janet y a su bebé. Grady avanzó hacia él con la intención de mostrarle su amor, no como a un amante, sino como a un hombre abrumado por el amor y el nacimiento. Una enfermera se acercó a la entrada y Steve Bolton no cambió de expresión cuando supo que su hijo había nacido. Se levantó despacio, con los ojos tan claros que parecían ciegos, y con un suspiro que balanceó la habitación descansó la cabeza en el hombro de Grady: «Soy un hombre muy feliz», dijo. Esto fue el final de todo, ella ya no quería nada más de él, los deseos del verano los había barrido la semilla del invierno: los vientos los separaron mucho antes de que un nuevo abril quebrase su plenitud.

—Vamos, enciéndeme un pitillo.

La voz de Clyde Manzer, rezongando de sueño pero siempre muy ronca y pastosa, poseía una cualidad singular: era fácil tener una impresión de cualquier cosa que dijese, porque aquella forma de hablar balbuciente, atenuada como una obstrucción de una garganta que se aclara, arrastraba en cada sílaba la espoleta lenta de la virilidad; sin embargo, tropezaba con las palabras, y las pausas a veces separaban frases de tal modo que el sentido se esfumaba. «No me lo babees, niña. Siempre lo babeas.» La voz, aunque atractiva en sí misma, podía ser engañosa: debido a ella, algunos le consideraban un estúpido; lo cual sólo demostraba que eran poco observadores: Clyde Manzer no era tonto en absoluto; su inteligencia particular, de hecho, residía en lo que era a todas luces obvio. La soez sabiduría que entraña un diploma en conocimientos prácticos –dónde esconderse, cómo correr, viajar en el metro, ver una película y utilizar una cabina telefónica sin pagar–, esa picaresca nacida de una infancia urbana de guerras entre barrios y tardes desesperadas en que sólo sobreviven los crueles y los listos, los rápidos y los valientes, era la instrucción que confería a sus ojos su ágil intensidad.

–Ah. Me lo has babeado. Cristo, lo sabía.

–Me lo fumo yo –dijo Grady, y le encendió otro con el mechero que Peter había considerado tan vulgar. Un lunes, que era el día libre de Clyde, habían ido a un puesto de tiro al blanco y él había ganado el encendedor y se lo había regalado a ella; desde entonces a Grady le gustaba encender los cigarrillos de todo el mundo; era emocionante ver cómo su secreto, disfrazado de débil llama, surgía desnudo, entre ella, que lo conocía, y alguna otra persona que pudiera descubrirlo.

—Gracias, pequeña —dijo él, aceptando el nuevo cigarrillo—. Eres una buena niña: no me lo has babeado. Estoy de un humor de perros, nada más. No debería dormir así. Estaba soñando cosas.

—Espero que yo estuviera en el sueño.

—No recuerdo nada de lo que sueño —dijo él, frotándose el mentón como si necesitase un afeitado—. Dime, entonces, ¿has despedido a tus viejos?

—Ahora mismo; Apple quería que la llevase a casa y se ha presentado un viejo amigo: todo ha sido muy confuso, he venido derecha del muelle.

—Hay un viejo amigo mío que me gustaría que apareciese —dijo él, y escupió en el suelo—. Mink. ¿Conoces a Mink? Te lo dije, el tío con el que estuve en el ejército. Aprovechando lo que me dijiste, le dije que viniera a sustituirme esta tarde. El cabrón me debe dos dólares: le dije que si venía se los perdonaba. Así que, pequeña —alargando la mano le tocó la seda fría de la blusa—, si Mink no aparece —y acto seguido, con una suave presión, la deslizó hasta el pecho de Grady—, me figuro que tendré que quedarme aquí encerrado.

Se miraron en silencio el tiempo que tardó una gota de sudor en resbalar desde lo alto de la frente de Clyde y recorrerle la longitud de la mejilla.

—Te he echado de menos —dijo él. Y habría dicho algo más si un cliente no hubiera entrado en el parking.

Tres señoras de Westchester, que venían a almorzar a la ciudad y asistir a una función de tarde; Grady se sentó en el coche y aguardó mientras Clyde iba a atenderlas. Le gustaba su manera de andar, la impresión que daban sus piernas de tomarse su tiempo, el espacio indolente que había entre cada paso y aquel trote extraño: eran los andares de un hombre alto. Pero Clyde no era mucho más alto que ella. En el parking él siempre vestía unos pantalones caqui de verano y una camisa de franela o un suéter viejo: era una ropa más agradable de ver y mucho más apropiada para él que el traje del que estaba tan orgulloso. Por lo general, lo llevaba puesto, un traje oscuro, cruzado, de raya diplomática, siempre que aparecía en los sueños de Grady; ella no sabía por qué, pero, en realidad, soñaba de él cosas siempre absurdas. En los sueños, ella era la espectadora perpetua y él estaba con otra persona, alguna otra chica, y los dos pasaban por delante de ella y le lanzaban una sonrisita desdeñosa o la ninguneaban mirando hacia otro lado. La humillación era grande, sus celos aún más, era algo irrazonable; con todo, su inquietud tenía algún fundamento: estaba segura de que dos o tres veces él se había llevado su coche y, en una ocasión en que ella lo dejó en el parking toda la noche, encontró encajada entre los asientos una pequeña polvera chabacana que a todas luces no era suya. Pero a Clyde no le dijo nada; se guardó la polvera y no la mencionó nunca.

—¿No eres la chica de Manzer?

40

Ella estaba buscando música en la radio; como no había oído acercarse a nadie, se sobresaltó al alzar la vista y descubrir a un hombre apoyado en el coche, con los ojos clavados en ella y la mitad de la boca retorcida en una sonrisa que mostraba un diente de oro y otro de plata.

–Oye, eres la chica de Manzer, ¿no? Vimos tu foto en la revista. Era una buena foto. Mi chica, Winifred... ¿Manzer te ha hablado de Winifred? A ella le gustó muchísimo. ¿Crees que aquel fotógrafo le sacaría una foto a ella? Le haría mucha ilusión.

Grady sólo acertaba a mirarle, y a mirarle con dureza, porque era como un bebé gordo y tembloroso que hubiese alcanzado con una celeridad monstruosa el tamaño de un buey: tenía los ojos saltones y los labios blandos.

–Soy Mink –dijo, y sacó un cigarrillo que Grady le permitió encender: empezó a tocar el claxon lo más alto que pudo.

Clyde no se apresuraba nunca; después de aparcar el coche de Westchester volvía con paso tranquilo y reposado.

–¿Qué demonios es este escándalo? –dijo.

–Este hombre; bueno, ya está aquí.

–¿Crees que no lo veo? Hola, Mink.

Desvió su atención de Grady hacia la cara pálida como la harina y sonriente de Mink, y Grady reanudó sus forcejeos con la radio: casi nunca la molestaba nada de lo que dijera Clyde: el único efecto en ella de sus accesos de malhumor era que se sentía más próxima a él, pues el hecho de que Clyde se tomase la licencia de descargarlos contra ella reflejaba el grado de intimidad entre ellos. Sin embargo, habría preferido que nada se reflejase en presencia de aquel niño-buey: ¿no eres la chica de Manzer? Se había imaginado que Clyde hablaba de ella a sus amigos y hasta les enseñaba su foto en una revista, lo cual estaba bien, ¿por qué no? Por otra parte, sus figuraciones no habían llegado hasta el extremo de preguntarse qué clase de amigos eran. Pero era ya bastante tarde para darse ínfulas; sonriente, en suma, procuró aceptar a Mink y dijo:

—Clyde tenía miedo de que no vinieras. Ha sido toda una gentileza por tu parte.

Mink resplandeció como si le hubieran pulsado dentro un interruptor de luz; fue doloroso, porque ella vio en la nueva vida que le iluminaba la cara que Mink sabía que no le había caído bien a ella y que esto le había dolido.

—Oh, sí, sí, no iba a dejar a Manzer plantado. Habría venido antes, sólo que Winifred, ya sabes, Winifred está en huelga en su trabajo y me ha retenido allí para echar una bronca a un gran... (perdón).

Los ojos de Grady se volvieron inquietos hacia la caseta que servía de oficina de Nemo: Clyde había ido a cambiarse allí y ella aguardaba impaciente su regreso, no sólo porque estar a solas con Mink le crispaba los nervios, sino porque le añoraba y esto valía lo mismo para hacía un minuto o una semana.

—Tienes un cochazo, en serio. El tío de Winifred, el que vive en Brooklyn, compra coches usados: apuesto a que por éste te daría una buena pasta. Oye, deberíamos salir los cuatro una noche: ir a bailar, ¿me entiendes?

La reaparición de Clyde la dispensó de contestar. Debajo de una cazadora de cuero se había puesto una camisa blanca limpia y una corbata; había intentando hacerse una raya en el pelo y se había lustrado los zapatos. Se plantó delante de ella, con las manos en las caderas: el fulgor del sol le obligó a fruncir el ceño, pero toda su actitud parecía decir: ¿qué aspecto tengo? Y Grady dijo:

—Querido, ¡estás guapísimo!

3

Había sido de ella la idea de que almorzaran en Central Park, en la cafetería contigua al zoo. Como el apartamento de los McNeil estaba en la Quinta Avenida, casi enfrente del zoológico, ella estaba cansada de verlo, pero aquel día, espoleada por la novedad de comer al aire libre, le pareció un proyecto festivo; y, además, sería algo completamente nuevo para Clyde, que estaba in albis respecto a determinadas zonas de la ciudad: por ejemplo, el territorio entero que comienza alrededor del Plaza y se extiende y se ensancha hacia arriba y hacia el este. El mundo al este del parque era naturalmente el Nueva York que mejor conocía Grady: aparte de Broadway, no se había aventurado a menudo fuera de aquel distrito. Por eso creyó que Clyde bromeaba cuando dijo que ni siquiera sabía que había un zoo en Central Park; es decir, al menos no guardaba re-

cuerdo de ninguno. Este desconocimiento intensifi-
caba el enigma general de su pasado; Grady conocía
el número y los nombres de los miembros de su familia: había una madre, dos hermanas que trabaja-
ban y un hermano menor. El padre, que había sido
sargento de la policía, había muerto; y sabía más o
menos dónde vivían: en algún sitio de Brooklyn, en
una casa cerca del océano a la que se llegaba al cabo
de una hora de trayecto en metro. Luego había varios amigos cuyos nombres había oído con suficiente frecuencia para recordarlos: Mink, al que acababa
de conocer, otro que se llamaba Bubble y un tercero
llamado Gump; una vez ella le preguntó si eran
nombres de verdad,[1] y Clyde le dijo que sí.

Pero el cuadro que ella había perfilado a partir
de estos retazos era tan de aficionado que no mere-
cía siquiera el marco más modesto: le faltaba perspectiva y mostraba poco talento para los detalles. La
culpa, por supuesto, recaía en Clyde, que no era
muy hablador. Además, a su vez parecía muy poco
curioso: Grady, alarmada en ocasiones por la par-
quedad de sus preguntas y la indiferencia que acaso
sugirieran, le suministraba abundante información
personal, lo cual no quiere decir que siempre le dijera la verdad, ¿cuántas personas enamoradas lo hacen, o pueden hacerlo?, pero al menos le facilitaba

1. *Mink:* visón; *Bubble:* burbuja; *Gump:* imbécil, y también
gallina, en jerga. *(N. del T.)*

una verdad suficiente para explicar con mayor o menor exactitud toda la vida que ella había vivido lejos de él. Sin embargo, tenía la impresión de que a él no le importaría no oír sus confesiones: parecía querer que ella fuera tan evasiva y secreta como él. Y, no obstante, ella, con toda propiedad, no podía acusarle de secretismo: Clyde respondía a todo lo que ella preguntaba: aun así, era como intentar fisgar a través de una persiana veneciana. (Era como si el mundo donde los dos se juntaban fuese un barco fondeado entre las dos islas que eran ellos: él veía sin esfuerzo la orilla de Grady, pero la de Clyde estaba envuelta en una bruma que no se disipaba.) Un día, inspirada por una idea peregrina, Grady había cogido el metro para ir a Brooklyn, pensando que si tan sólo veía la casa donde él vivía y recorría las calles por donde él caminaba, le comprendería y conocería como deseaba; pero nunca había estado en Brooklyn y las calles fantasmales, solitarias, la humildad del terreno que se extendía en una maraña de bungalows similares, de solares vacíos y huecos silenciosos, eran tan aterradoras que al cabo de veinte pasos se dio media vuelta y huyó corriendo al metro. Más tarde comprendió que había sabido desde el principio que la expedición sería un fracaso. Quizá Clyde, con una sagacidad consciente, había elegido mejor al circunvalar las islas y conformarse con la soledad de un barco: pero en su travesía juntos no parecía haber puertos donde hacer una escala; y, mientras estaban sentados en la terraza de la cafetería, a la sombra de un parasol, Grady tuvo un nuevo motivo para necesitar la seguridad de la tierra.

Había querido que fuese divertido, una celebración en honor de ellos mismos, y lo fue: las focas se confabulan para divertirles, los cacahuetes estaban calientes, la cerveza fría. Pero Clyde no se relajó de verdad. Se arrogó con solemnidad los deberes de acompañante en una excursión así: Peter Bell habría comprado un globo en son de burla: Clyde le regaló uno como si formara parte de un ritual tenaz. Fue tan conmovedor para Grady, y tan tonto, que durante un rato le dio vergüenza mirarle. Sujetó fuerte el globo a lo largo de todo el almuerzo, como si su felicidad oscilara y tirase de la cuerda. Pero fue al terminar la comida cuando Clyde dijo:

–Oye, ¡no sabes cuánto me encantaría quedarme! Pero ha surgido algo y tengo que volver temprano a casa. Es algo que se me había olvidado, porque si no te lo habría dicho.

Grady reaccionó con desenfado, pero se mordió el labio antes de contestar.

–Lo siento –dijo–. Es una auténtica pena. –Y a continuación, con un mal genio que no pudo contener–: Sí, me parece que deberías habérmelo dicho. No me habría molestado en planear algo.

–¿Qué tenías pensado, niña?

Clyde lo dijo con una sonrisa en la que asomaba una ligera lujuria: el joven que se reía de las focas y compraba globos había cambiado de perfil y el nuevo lado, que mostraba una arista más áspera, era la faceta de la que Grady nunca sabía defenderse: su insolencia la atraía, la paralizaba de tal modo que sólo alcanzaba a desear un aplacamiento.

–Da igual –dijo, impostando a su vez un deje lascivo–. Ahora no hay nadie en el apartamento y había pensado que podíamos ir a prepararnos algo de cenar.

Altas como una torre y ocupando una hilera a la mitad de la altura de un edificio, las ventanas del apartamento, como ella le había señalado, se veían desde la terraza de la cafetería. Pero toda insinuación de que lo visitasen parecía disgustar a Clyde: se alisó el pelo y se apretó el nudo de la corbata.

–¿Cuándo tienes que volver a casa? ¿Ahora mismo?

Él movió la cabeza; después, diciéndole lo que ella más quería saber, que era por qué tenía que marcharse, dijo:

–Es mi hermano. El chico celebra su *bar mitzvah*[1] y lo correcto es que yo asista.

–¿El *bar mitzvah*? Creía que eso era algo judío.

Una rigidez semejante a un sonrojo tensó la cara

1. La ceremonia de iniciación que se celebra cuando un chico judío, a los trece años, alcanza la edad de los deberes religiosos. *(N. del T.)*

de Clyde. No miró siquiera cuando una paloma atrevida picoteó con parsimonia una miga de la mesa.

–Bueno, *es* algo judío, ¿no?

–Yo soy judío. Mi madre lo es –dijo él.

Grady guardó silencio mientras la sorpresa de esta revelación la circundaba como una enredadera; y entonces, entre salpicaduras de conversación que llegaban a ráfagas de las mesas vecinas, vio lo lejos que estaban de una orilla. Carecía de importancia que él fuese judío; era uno de esos hechos que Apple podría haber convertido en trascendente, pero que a Grady nunca se le hubiera ocurrido achacarle a nadie; no a Clyde, por descontado; aun así, el tono con que él se lo había dicho no sólo presumía que ella lo haría, sino que recalcaba aún más lo poco que ella le conocía: en lugar de agrandarse, la imagen que tenía de él se contraía, y pensó que tendría que empezar otra vez desde cero.

–Bueno –empezó, lentamente–. ¿Y eso debe preocuparme? Porque no me preocupa, ¿sabes?

–¿Qué demonios es eso de *preocuparte*? ¿Quién demonios te crees que eres? Preocúpate de ti misma. *Yo no soy nada para ti.*

Una anticuaria con un siamés atado con una correa les escuchaba muy tiesa. Fue su presencia lo que contuvo a Grady. El globo se había mustiado un poco, su tirantez empezaba a perder tersura; sin soltarlo, Grady empujó la mesa, bajó deprisa los escalones de la terraza y enfiló el camino. Clyde tardó unos minutos en alcanzarla (y cuando lo hizo ya se había esfumado la rabia de Grady). Pero la agarró de los dos brazos, como suponiendo que ella trataría de zafarse. Esquirlas de sol que se filtraban a través de un árbol revolotearon como mariposas; sentado en un banco, más allá, un chico sostenía en las rodillas un fonógrafo de cuerda y la canción de un solo de clarinete ascendía en espirales, como una anguila, hacia el aire ondulante.

–Eres algo para mí, Clyde; y más que eso. Pero no consigo descubrirlo porque parece que nunca hablamos de las mismas cosas.

Grady calló; la presión de los ojos de Clyde convertía el lenguaje en fraudulento, y fuera cual fuese su designio como amantes, sólo él parecía entenderlo.

–Claro, pequeña –dijo–; lo que tú digas.

Y le compró otro globo; el anterior se había arrugado como una manzana. El nuevo era mucho más bonito; blanco y con forma de gato, tenía ojos y patillas pintados de violeta. Grady estaba encantada.

–¡Vamos a enseñárselo a los leones!

La leonera de un zoo huele a malas pulgas, posee un aire acechado por el sueño, carcomido por el mal aliento y los deseos muertos. Cómica, en un sentido triste, es la leona astrosa recostada en su celda como una reina del cine mudo; y su pareja, el macho, ofrece una descomunal estampa absurda parpadeando al público como si utilizase un par de bifocales. En cierto modo el leopardo no sufre; tampoco la pantera: sus pavoneos altivos producen claras alteraciones del pulso, pues ni siquiera la indignidad del encierro minimiza el peligro de sus ojos asiáticos, esas flores doradas y rojizas que retoñan con una valentía hirsuta en el ocaso de la cautividad. A la hora de comer, la casa de las fieras se convierte en una selva retumbante, porque el cuidador, al pasar entre las jaulas con las manos teñidas de sangre, es a veces lento y sus pupilos, celosos de los que han sido alimentados primero, braman bajo el techo, sacuden el acero con rugidos ansiosos.

Un grupo de niños, que se habían infiltrado entre Clyde y Grady, correteaban gritando cuando empezó el tumulto; pero poco a poco, sobrecogidos por el creciente alboroto, se apelotonaron y se quedaron callados. Grady trató de abrirse paso entre ellos; a mitad de camino perdió el globo y una niña, silenciosa y de mirada malévola, lo agarró y salió disparada: tanto la ladrona como el robo pasaron inadvertidos, pues Grady, enfebrecida por los impetuosos sonidos de los animales, que les nacían de las entrañas, sólo quería llegar junto a Clyde y, así como una hoja se dobla ante el viento o una flor se encorva bajo la pata de un leopardo, someterse a su fuerza. No hacía falta hablar; el temblor de su mano lo decía todo: la de Clyde también, al establecer contacto.

En el apartamento de los McNeil era como si la caída de una vasta nieve hubiera silenciado las grandes habitaciones severas y amortajado los muebles con corrientes glaciales: terciopelo y bordados, las hermosas pátinas y el oropel perecedero, todas las envolturas contra la suciedad del verano eran de una blancura espectral. En algún lugar de aquella penumbra de nieve y cortinajes corridos, sonaba un teléfono lejano.

Grady lo oyó al entrar. Primero, antes de contestar, condujo a Clyde por un pasillo tan suntuoso que si alguien hubiera hablado en un extremo nadie lo habría oído en el otro: la puerta de su cuarto era la última de una larga hilera. Era la única habitación que el ama de llaves, al cerrar el apartamento, había dejado exactamente como estaba en invierno. La ocupante original había sido Apple, pero después de casarse la había heredado Grady. Por más que se había esforzado en librarse de los requilorios de Apple, muchos perduraban: armaritos nauseabundos de perfume, un escabel tan grande como una cama, una cama tan grande como una nube. No obstante, Grady se quedó con el dormitorio, porque tenía puertaventanas que daban a un balcón con vistas a todo el parque.

Clyde se demoró en la puerta; no había querido ir, dijo que no estaba bien vestido, y el sonido del teléfono ahora pareció remover otras incertidumbres. Grady le hizo sentarse en el escabel. En su centro había un fonógrafo y una pila de discos. A veces, cuando estaba sola, le gustaba repanchigarse allí y escuchar canciones lentas que acompasaban muy bien todo género de pensamientos extraños.

—Ponlo en marcha —dijo y, preguntándose por qué demonios seguía sonando, fue a contestar el teléfono. Era Peter Bell: ¿cenaban? Por supuesto que sí se acordaba, pero no allí y, por favor, no en el Plaza y no, no quería cenar en un chino; y no, la verdad, estaba completamente sola, ¿qué juerga dices?, ah, el fonógrafo..., esto, pues, sí, Billie Holiday; vale, Pomme Souffle, a las siete en punto, hasta luego. Cuando colgó, Grady albergó el deseo de que Clyde le preguntase quién había llamado.

No habría de cumplirse. Entonces, por iniciativa propia, dijo:

—¿No es estupendo? Al final no tendré que cenar sola: me invita Peter Bell.

—Hum. —Clyde siguió revolviendo los discos—. Oye, ¿tienes «Red River Valley»?

—No conozco ese título —dijo ella con brusquedad, y abrió de par en par las puertaventanas. Por lo menos podría haber preguntado quién era Peter Bell. Desde el balcón vio pináculos y banderolas que sobrevolaban desde muy alto la ciudad, vibrando en una disolución de tarde sólida, aunque ya el cielo se tornaba frágil y pronto se desmigaría en el crepúsculo. Quizá él se marchase antes y, al pensarlo, ella se volvió hacia la habitación, expectante, ansiosa.

Clyde se había desplazado del escabel a la cama; sentado en el borde, y siendo tan grande la cama que le rodeaba, parecía pensativo y menudo: y aprensivo, como si alguien pudiese entrar y sorprenderle en un sitio donde no tenía por qué estar. Como buscando protección en Grady, la rodeó con los brazos y la derribó a su lado.

—Hemos esperado mucho para tener una cama así —dijo—. Tiene que ser bueno en una cama, cariño.

La colcha era azul y el azul se extendía ante Grady como un cielo insondable; pero todo se le hacía extraño, habría jurado que nunca había visto aquella cama: extraños lagos de luz ondulaban la superficie de seda, las almohadas reforzadas eran montañas de tierra inexplorada. Nunca había tenido miedo en el coche o en los parajes boscosos que habían descubierto al otro lado del río y desde las Palisades: pero la cama, con sus lagos, cielos y montes, le parecía tan imponente, tan seria, que la asustaba.

—¿Tienes frío? —dijo Clyde, y ella se acurrucó contra él; quería traspasarle.

—Es un escalofrío, no es nada. —Y después, empujándole un poco—: Di que me quieres.

—Ya te lo he dicho.

—No, oh, no. No me lo has dicho. Estaba escuchando. Y nunca me lo dices.

—Bueno, dame tiempo.

—Por favor.

Él se incorporó y miró a un reloj de pared en el

otro extremo del dormitorio. Eran más de las cinco. Con resolución, se quitó la cazadora y empezó a
desatarse los zapatos.

—¿No vas a..., Clyde?

Él le sonrió.

—Sí, voy a...

—No me refiero a eso; y lo que es más, no me gusta: suena como si le estuvieras hablando a una puta.

—Qué tontería, cariño. No me has traído hasta
aquí para que te hable de amor.

—Me das asco —dijo ella.

—¡Fíjate! Se ha picado.

El silencio subsiguiente circuló como un pájaro
agraviado. Clyde dijo:

—Quieres pegarme, ¿eh? Casi me gustas cuando
te picas: ésa es la clase de chica que eres.

Lo cual tornó a Grady liviana en sus brazos
cuando la levantó y la besó.

—¿Todavía quieres que te lo diga?

La cabeza de Grady se desplomó sobre el hombro de Clyde.

—Porque te lo diré —dijo, enredando los dedos
en el pelo de ella—. Quítate la ropa... y te lo digo
bien dicho.

En el vestidor había una mesa con un espejo de
tres cuerpos. Al desabrocharse la pulsera, Grady veía
en el espejo cada movimiento de Clyde en la otra
habitación. Él se desvistió con rapidez e iba dejando
las prendas en cualquier lugar; una vez en calzonci-

llos, encendió un cigarrillo y se desperezó; los colores de la puesta de sol se reflejaron a lo largo de su cuerpo. Después, sonriendo hacia Grady, se bajó los calzoncillos y se quedó plantado en la entrada:

—¿Lo dices en serio? ¿Te doy asco?

Ella movió la cabeza despacio y él dijo:

—Te juro que tú no.

El espejo, entonces, vibró al caer la silla de Grady y disparó en el crepúsculo flechas deslumbrantes.

Eran más de las doce y Peter, elevando la voz por encima de los compases de una orquesta de rumba, pidió otro scotch al camarero; mirando más allá de la pista de baile, infinitesimal y tan concurrida que los bailarines eran un solo bulto anónimo, se preguntó si Grady volvería. Media hora antes ella se había disculpado, presuntamente para ir al tocador de señoras; ahora, sin embargo, se le ocurrió pensar que se había ido a casa: pero ¿por qué? ¿Sólo porque él no había aplaudido, cuando ella le describió, y con evasivas, las delicias de un idilio? Ella debería agradecerle que él no le hubiese dicho unas cuantas cosas que tenía en mente. Estaba enamorada; muy bien, él la creía, aunque tener que hacerlo le exasperaba: aun así, ¿tenía intención de casarse con aquel... no-sé-qué? No se había atrevido a preguntárselo. La posibilidad de que ella quisiera casarse era insoportable, y la conmoción había espabilado tanto a Peter que al cabo de aquellos martinis e innumerables scotchs, seguía sintiéndose dolorosamente sobrio. En efecto, en las últimas cinco horas se había percatado de que estaba enamorado de Grady McNeil.

Le resultaba curioso que con las pruebas que tenía a mano no hubiese llegado antes a esa conclusión. A la nube de castillos de arena y amistad firmada con sangre se le había permitido oscurecerse demasiado: así y todo, la evidencia de algo más intenso siempre había estado allí, como un poso en el fondo de una taza; al fin y al cabo, era con Grady con quien comparaba a todas las demás chicas, era ella la que le conmovía, divertía, comprendía; una y otra vez ella le había ayudado a portarse como un hombre. Y más aún: pensaba que la elegancia y las opiniones estéticas de Grady eran, en parte, producto de sus enseñanzas; no se atribuía el mérito de la fuerza de voluntad tan vehemente que ella poseía; sabía que en esto era muy superior a él y, en realidad, la voluntad de Grady le asustaba: podía influir en ella hasta un punto determinado, más allá del cual ella haría exactamente lo que se le antojase. Bien sabía Dios que él no tenía nada concreto que ofrecer. Era posible que nunca llegase a hacer el amor con ella, y si lo hacía era probable que el acto se disolviese en la risa o las lágrimas de unos niños que juegan juntos: la pasión entre ellos sería notable, incluso ridícula, sí, lo veía (aunque no de lleno); y por un momento despreció a Grady.

Pero justo entonces, al sobrepasar el cordón de la entrada, ella le llamó y él se apresuró a alcanzarla, pensando tan sólo, y con una lucidez que parecía única, en que era deliciosa, y en la excelencia con que prevalecía sobre los ostentosos escuadrones de cacatúas engreídas. Su cabello, disparado en todas direcciones, era como un crisantemo herrumbroso, pétalos del cual le caían sueltos sobre la frente, y sus ojos, tan increíblemente insertos en su hermoso rostro sin maquillar, captaban toda la atmósfera con agudeza y una vivacidad verdosa. Fue Peter quien le había dicho que no debía usar maquillaje; fue también él quien le aconsejó que el blanco y el negro eran los colores que más le favorecían, pues los suyos propios eran tan nítidos que entraban en conflicto con tonos más vivos: y le gratificó que ella llevara una blusa dominó y una larga falda negra y plisada. La falda se cimbreó al compás de la música cuando él la siguió hasta una mesa; en el camino, calibró discretamente con los ojos la cantidad de atención que ella atraía.

La gente solía mirarla, algunos porque encarnaba a la joven encantadora que les gustaría que les hubieran presentado en una fiesta, y otros porque sabían que era Grady McNeil, la hija de un hombre importante. Unos pocos la miraban por un motivo distinto: porque, con su aura de encantamiento privilegiado e intencional, intuían que era una chica a la que le iba a suceder algo.

–¿A que no adivinas a quién vi la semana pasada? ¿En el Locke-Ober's de Boston? –dijo él, en cuanto estuvieron sentados bajo el resplandor de un árbol de celofán blanco–. ¿Te acuerdas del Locke-Ober's, McNeil? Una vez te llevé a comer allí, y te gustó porque en la calleja de fuera había un hombre con un banjo y un sombrero de cascabeles de latón. Resumiendo, me encontré con un viejo amigo nuestro, Steve Bolton.

No era que acababa de recordar aquel encuentro: más bien había elegido evocarlo con la intención de que a ella le recordase el desenlace de una antigua emoción que, mirada en retrospectiva, quizá le inoculase dudas sobre los atractivos de la actual: no obstante, Peter sólo sospechaba lo que Grady habría podido sentir antaño por Steve Bolton.

–Tomamos una copa.

–Steve: Dios mío, no han pasado años, que digamos –dijo Grady–. No, supongo que no tantos. Pero ¿qué se le había perdido en Boston?

Y esta frase expresó fielmente la naturaleza de su interés. La idea de que ella le hubiese amado no representaba un fardo vergonzoso, como Peter había supuesto; además, ella nunca se había avergonzado de aquello. Pero hacía meses que no pensaba en Steve, y parecía alguien tan desfasado como las canciones que todo el mundo había cantado el verano anterior.

—Estaría allí por algún asunto, me figuro. O una reunión de ex alumnos: es de ésos. Él nunca me gustó, aunque ahora no tengo muchos motivos: parecía bastante consumido, y no del todo él mismo. Dijo que te saludara de su parte si te veía.

—¿Y Janet? ¿Cómo están Janet y el bebé?

Tras haber descubierto que el nombre de Steve Bolton no despertaba ninguna conmoción en Grady, a Peter le aburrió el tema. Pero ella, mientras aguardaba la respuesta, descubrió que su interés por Janet era auténtico: a diferencia de Steve, no la veía desde el extremo pequeño de un telescopio, sino en un agudo primer plano, presente y punitivo; y recordó la mañana en que había prolongado el sufrimiento de Janet (con un remordimiento que hasta entonces nunca había sentido).

—¿O no los mencionó?

—Sí, por supuesto que sí. Dijo que estaban bien. Tuvieron otro hijo, esta vez una niña. No necesito decirte que me enseñó una foto: ¿por qué hace eso la gente? ¡Todas esas fotos satinadas de críos empalagosos! Es una perversión. Espero que nunca tengas hijos.

—Válgame Dios, ¿por qué? Me gustaría tener un bebé patizambo; ya sabes, bañarlo y levantarlo a la luz en brazos.

Peter aprovechó aquel resquicio.

—¿Un bebé patizambo? ¿Y qué pensaría él?

–¿Quién? –dijo Grady.

–Perdóname, no conozco el nombre del caballero –dijo, tendiendo las redes–. Pero me atrevería a decir que es uno muy conocido; vamos, ¿por eso no me lo dices? Que es una especie de intelectual y como mínimo veinte años más viejo. Las chicas nerviosas, de una vasta sensibilidad, se derriten por un padrazo.

Grady se rió, aunque la risa, como comprendió demasiado tarde, autorizó a Peter a hacer caricaturas de la situación. Sin embargo, estaba dispuesta a permitirle esta licencia: era un pequeño pago por un favor que le había hecho aquella noche y que era imposible explicar: consistía simplemente en que él supiera ya que Clyde Manzer existía, porque el hecho de que lo supiese reducía a Clyde a un tamaño humano y además le infundía existencia. Lo había envuelto en sombras durante tanto tiempo que Clyde se había vuelto más grande de lo que era en realidad. Que otra persona lo supiera disipaba gran parte del misterio y aliviaba el miedo que Grady tenía de que Clyde se disolviese: por fin poseía sustancia, era un ser al que llevaba no sólo en la cabeza, y mentalmente, en un rapto, flotó hacia él para abrazar al Clyde real.

Peter estaba complacido.

–No te molestes en contestar, pero ¿he acertado?

–No te lo digo; si te lo dijera, me perdería otras teorías tuyas.

—¿De verdad quieres saber mis teorías?

—No, en realidad no —dijo ella: en realidad, sí quería; le restituía algo de la emoción de tener todavía un secreto.

—Dime una cosa. —Peter se pinchó la palma de la mano con una varilla de revolver cócteles—. ¿Vas a casarte con él?

Ella percibió la seriedad de la pregunta y, como estaba en actitud de bromear, se quedó desconcertada.

—No lo sé —dijo, con un filo de rencor en la voz—. ¿Una siempre tiene que casarse? Estoy segura de que hay clases de amor en que no se habla en absoluto de eso.

—Sí, pero ¿no es bien sabido que el amor y el matrimonio son sinónimos para casi todas las mujeres? Desde luego, pocos hombres consiguen el primero sin prometer el segundo: o sea, el amor..., si sólo consistiera en abrirse de piernas, casi cualquier mujer lo haría por nada. Pero, hablando en serio, querida...

—Pues en serio... aunque está claro que tú no lo estás siendo: no tengo respuesta que dar; ¿cómo iba a tenerla si la verdad es que nunca lo he pensado? Hemos venido a bailar, querido. ¿Bailamos?

Al volver de la pista les aguardaba un fotógrafo, con un desinterés hostil, y el agente de prensa del Bamboo Club, un hombre insolente y enfurruñado cuyas manos enjoyadas revoloteaban por la mesa colocando accesorios festivos: un cubo de champán, un jarrón, un cenicero de un tamaño monstruoso que, con un descaro fotogénico, ostentaba el nombre del club.

—Muy bien, señorita McNeil, sólo una foto, ¿no le importa? Va, va, no mire a la cámara; así, mírense los dos: *preciosa*, una absoluta preciosidad, *¡no podría* estar más guapa! Artie, estás sacando una gran foto, capturando el amor joven, eso es lo que estás haciendo. Ah, señorita McNeil, *hágame* caso..., mire, ¡hasta su amigo dice que tengo razón! ¿No es cierto, joven? ¿Y usted *quién es,* a todo esto? Esperen, quiero anotarlo todo. ¿Pero no es alguien viejísimo o muerto o famoso o algo, un Walt Whitman? Oh, *ya* veo, es usted el segundo Walt Whitman; *¿nieto* de él, no? Pero qué maravilla. Gracias, señorita McNeil, y a usted también, señor Whitman: los dos han sido un *encanto,* una absoluta delicia.

No se olvidó de llevarse las flores ni el champán ni el cenicero.

El gasto de Peter en whisky reportó por fin un dividendo: a saber, su sentido del humor había alcanzado un punto indiscriminado, y estaba decidido a llevarlo aún más lejos: por desgracia, alguien le brindó una oportunidad. Fue un hombrecillo gris y cohibido que, azuzado por su acompañante, una mujer vestida de un rosa fresa que sorbía brandy, se inclinó desde la mesa contigua y asestó un picotazo tímido en el brazo de Peter:

—Disculpe —dijo—, pero ¿pertenecen ustedes a la

realeza británica? Mi amiga lo dice porque les han sacado una foto.

—No —dijo Peter, con una sonrisa paciente—. Somos de la realeza americana.

Grady estaba convencida de que debían marcharse: un minuto más y habría una pelea; esta expectativa era lo que impulsaba a Peter a quedarse. Al menos podría avergonzarse, dijo, y llevó a Grady hasta la pista de baile, pero allí se empantanó, insistió en que bailaran y en pedir a la orquesta que tocara su canción favorita: «Just One of Those Things». Ella le advirtió que dejara de cantarle al oído: «Sólo uno de aquellos vuelos fabulosos». Al cabo de un rato ella cantaba con él. Un maratón de estrellas escarlatas parpadeaban en un redondel del techo, y Grady, bañada en su luz, aturdida por su rotación, flotaba a la deriva en el refugio de aquel cielo; una voz, muy alta sobre la tierra, le llegaba: ¿me oyes? ¿Oyes que te digo que eres de la realeza? Soñando, ella pensó que era Clyde, aunque ¡cuánto se parecía a Peter! Y girando en el espacio, el pelo se le columpió como una victoria. Bailaron hasta que de repente la música se atenuó y al mismo tiempo las estrellas se oscurecieron.

4

—Me los ha dado el portero —dijo Clyde, casi una semana más tarde. Le tendió dos telegramas, pero Grady no los cogió hasta después de haber abierto el grifo y haberse limpiado de las manos la masa de gofre.

—Me gustaría darle un mamporro a ese tipo: ¡es un verdadero imbécil! Tendrías que ver las miradas que me lanza. Y ese crío, el ascensorista, es un mariquita: un día le voy a dar un buen susto.

Como ella ya había oído estas quejas no necesitaba comentarlas y dijo:

—¿Dónde está la mantequilla, cariño? ¿Y has traído el sirope que quería?

Estaba haciendo un desayuno muy tardío: se habían levantado más tarde de las once. Hacía unos cuantos días que el parking estaba cerrado; el dueño tenía problemas con su licencia. Y la víspera, en compañía de Mink y su novia, habían ido de picnic a los montes Catskill. En el trayecto de vuelta habían sufrido un pinchazo y eran más de las dos de la madrugada cuando cruzaron el puente de George Washington.

—No hay manera de encontrar ese sirope; he traído Log Cabin, ¿sirve? —dijo él, acomodándose junto a la plancha de gofres, y desdobló un tabloide que había comprado. Siempre que leía, bajaba las cejas como un estudioso (y hacía un ruido, como si mascullara, al morderse las uñas una tras otra).

—Aquí dice que el domingo fue el seis de julio más caluroso desde 1900: hubo más de un millón de personas en Coney..., ¿qué te parece?

Grady, recordando el abrasador campo salpicado de piedras donde tuvieron que apañárselas batallando con insectos y comiendo huevos duros sin sal, no tenía mucho que decir. Terminó de secarse las manos y se sentó a abrir los telegramas.

En realidad, uno de ellos era un cable, uno desmesurado de dos páginas que enviaba Lucy desde París: «A salvo aquí stop viaje horroroso porque papi olvidó esmoquin y tuvimos que quedarnos las noches en el camarote stop un esmoquin por vía aérea de inmediato stop también manda mi postizo de pelo stop apaga las luces stop no fumes en la cama stop voy a ver a un hombre mañana por lo de tu vestido stop mandaré muestras stop estás bien signo de interrogación dile a Hermione Bensusan que me mande por correo tu horóscopo para julio y agosto stop me preocupas stop con amor tu madre.» Grady dobló el cable con un gruñido; ¿de verdad creía su madre que otra vez iba a tratarse con Hermione Bensusan? La señorita Bensusan era una astróloga a la que Lucy adoraba.

—Eh, date prisa con esos gofres. Hay un partido de béisbol en la radio.

—Hay una radio en el aparador —dijo ella, sin levantar la vista del singular mensaje del segundo telegrama—. Enciéndela si quieres.

Él le tocó la mano con suavidad.

—¿Qué pasa: malas noticias?

—Oh, no —dijo ella, riéndose—. Es sólo una tontería.

Y leyó en voz alta:

—«Mi espejo de noche dice que eres una diosa y mi espejo de día dice que eres mi esposa.»

—¿Quién lo manda?

—El segundo Walt Whitman.

Clyde manipulaba la radio.

—¿Conoces a ese tío? —dijo, entre retazos de emisión.

—En cierto modo.

—Debe de ser un bromista: ¿o está loco?

—Un poco —dijo ella, y lo creía: una vez, en la época en que él estaba en la marina, y cuando su barco había llegado a algún puerto del Extremo Oriente, Peter le había enviado por correo una pipa de opio y quince quimonos de seda. Ella lo había donado todo, salvo uno de los quimonos, a una subasta de beneficencia, generosidad que le salió por la culata cuando alguien descubrió que los dibujos simples que los decoraban eran un ardid engañoso: expuestos a determinadas luces revelaban unas obscenidades espantosas. El señor McNeil, pillado de lleno en el follón subsiguiente, había dicho: qué tontería, está claro que el precio de los quimonos debería subir; no se opuso en absoluto a que Grady llevara uno. De hecho, lo llevaba ahora, aunque las mangas engorrosas tenían la fea costumbre de hundirse en el bol cuando ella estaba batiendo la masa de los gofres.

No admitía que lo estaba ensuciando todo. Impertérrita ante el beicon ya reseco y el café helado, vertió la mezcla en el grill que se había olvidado de engrasar y dijo:

—Oh, adoro cocinar: me hace sentirme irresponsable en cosas que valen la pena. Y he estado pensando..., si vas a oír un partido de béisbol, pues yo podría hacer un pastel de chocolate: ¿te apetecería?

Poco después, con una ráfaga de humo, la plancha de los gofres indicó que el contenido estaba calcinado; veinte minutos más tarde, tras haber raspado la plancha, ella anunció alegremente, y no sin orgullo:

—El desayuno está listo.

Clyde se sentó e inspeccionó su plato con una sonrisa tan tenue que ella dijo:

–¿Qué te pasa, cariño? ¿No has encontrado el partido en la radio?

Hum, él había encontrado la emisora, pero el partido no había empezado aún: ¿no le importaría recalentar el café?

–Peter aborrece el béisbol –dijo Grady, por la simple razón de que acababa de recordar ese detalle: como una forma de oponerse a Clyde, que parecía escatimar su conversación, ella había empezado a decir lo que se le pasaba por la cabeza, por intrascendente que fuera.

–Ten cuidado –le dijo, después de coger la cafetera eléctrica de la cocina y servirle más café–. Esta vez te quemarás la lengua.

Cuando ella pasaba él le agarró la mano y se la columpió de atrás hacia delante.

–Gracias –susurró ella.

–¿Por qué? –dijo él.

–Porque soy feliz –respondió ella, y soltó la mano.

–Es curioso, es curioso que no seas feliz todo el tiempo –dijo Clyde, y extendió el brazo hacia fuera en un gesto que ella lamentó al instante, porque indicaba, y de hecho demostraba, lo consciente que él era de las ventajas de que gozaba Grady: absurdamente, no le había considerado rencoroso.

—La felicidad es relativa —dijo ella: era la respuesta más fácil.

—¿Con respecto a qué: al dinero?

Esta réplica pareció levantarle el ánimo. Se estiró, bostezó, le dijo a Grady que le encendiese un cigarrillo.

—Después de éste, te los enciendes tú mismo —dijo ella—, porque voy a estar muy ocupada con el pastel de chocolate. Puedes comprar un helado de Schrafft; saben a gloria, ¿verdad? —Colocó de pie, delante de ella, un libro de cocina—. Hay muchísimas recetas maravillosas: escucha ésta...

Él la interrumpió diciendo:

—Se me acaba de ocurrir: ¿le dijiste en serio a Winifred que podía dar una fiesta aquí? Es de esas chicas que creerán que lo has dicho en serio.

Esto hizo que Grady perdiera el hilo de sus propios pensamientos: ¿qué fiesta? Y entonces, en una lluvia de recuerdos que la dejaron empapada, se acordó de que Winifred era la chica morena, robusta, grandullona que Mink había llevado al picnic en los Catskill: una comida a la que Winifred había aportado, además de una libra de salami, alrededor de unos noventa kilos de risotadas de grasa y músculo. Como un rinoceronte convertido en una ninfa de los bosques, y luciendo un par de bombachos de gimnasia que eran un vestigio de días atléticos en el instituto Lincoln, había retozado toda la tarde en la naturaleza, sin soltar en ningún momento el sudoroso manojo de margaritas que tenía en la mano: dijo que había gente que consideraba extraño que ella amase las flores, pero sinceramente era lo que más amaba del mundo porque ella pertenecía a esa clase de personas.

Y no obstante, de una forma indefinida, Winifred era admirable. Al igual que en sus ojos de spaniel, había en su descontrol una ternura cálida y genuina; y así estaba tan orgullosa de Mink, y le adoraba y era tan solícita con él. Grady no conocía a nadie que fuera menos atractivo que Mink ni más ridículo que Winifred, pero juntos irradiaban un aura clara y encantadora: era como si de la piedra ordinaria de que estaban hechos, de sus siluetas macizas e informes, se hubiese liberado algo precioso, una figura musical y pura, y Grady no podía por menos de rendirles homenaje. Clyde, que, al parecer, se los había presentado como una advertencia de que lo que era suyo no le convendría a ella, parecía sorprendido de que a Grady le gustaran. Pero cuando tuvieron el pinchazo y mientras los hombres lo estaban reparando, Grady se había quedado a solas con Winifred en el coche, y Winifred, atrayéndola hacia una cueva de confidencias femeninas, consiguió enseguida que aquélla fuera una de las pocas ocasiones en que Grady se había sentido próxima a otra chica. Las dos se contaron su historia. La de Winifred era triste: su trabajo de telefonista le gustaba, pero era infeliz en su vida hogareña porque estaba resuelta a casarse con Mink y quería hacer una fiesta de petición de mano, y su familia, que consideraba a Mink un pobre diablo, no le dejaba organizarla en su casa: oh, ¿y entonces qué iba a hacer ella? Grady le había dicho que bueno, si sólo era una fiesta, pues que utilizase el apartamento de los McNeil. En el acto Winifred había prorrumpido en gruesas lágrimas: qué detalle más bonito el suyo, dijo.

—Aunque se lo dijeras en serio —continuó Clyde—, no me parece una buena idea: si tu familia llegara a enterarse, se armaría una gorda.

—¿No es un poco inoportuno que te preocupes por mi familia? —dijo ella; y se le ocurrió de pronto que él estaba celoso, no de ella, sino de Mink y Winifred, porque era como si Clyde creyese que Grady les había sobornado para que se alejasen de él—. Si no quieres la fiesta, muy bien: me importa un pepino. Sólo me ofrecí porque pensé que te complacería: al fin y al cabo, son amigos tuyos, no míos.

—Mira, pequeña..., ya sabes lo que hay entre nosotros. Así que no lo mezcles con muchas otras cosas.

A ella le escocieron estas palabras: le hicieron sentirse fea y, haciendo un esfuerzo para guardar silencio, se ocultó detrás del libro de cocina. Ante todo, quería decirle a Clyde que era un cobarde: ella sabía que sólo un cobarde recurriría a semejantes tácticas; y estaba cansada, además, del silencio que él le imponía: parecía tan habituado al silencio, le costaba tan poco aceptarlo que quizá no entendiese que ella distaba mucho, al menos en su relación con él, de sentir algo como la culpa. Irritable, y mirando la receta como si fuese un simple borrón en la página, Grady escuchaba el crujido del periódico. Clyde estaba recostado en una silla que cayó hacia delante con un impacto sordo.

–¡Dios! Aquí sale tu foto –dijo, y se volvió para que ella la viera por encima de su hombro. De la página saltaba una imagen de ella y Peter, borrosa y con motitas, los dos con aspecto de ranas embalsamadas. Clyde, siguiendo con un dedo la letra impresa, leyó: «Grady McNeil, hija debutante del financiero Lamont McNeil, y su prometido, Walt Whitman II, conversando en privado en el Atrium Club. Whitman es nieto del famoso poeta.»

Grady ya oía a Apple diciendo que era escandaloso: le daba igual, sólo un comentario lapidario de Clyde le cortó la risa:

–Ya me explicarás dónde está la gracia.

–Oh, querido, es tan complicado –dijo ella, enjugándose los ojos–. Y, de todos modos, no es nada.

Él dio unos golpecitos encima de la foto y dijo:

–¿No es éste el tío que mandó el telegrama?

–Sí y no –dijo ella, y desesperó de poder explicárselo. Pero a Clyde no pareció importarle. Con los ojos entornados y mirando al vacío, tragó humo y lo expulsó despacio por la nariz.

–¿Es verdad? –preguntó–. ¿Estáis prometidos este tío y tú?

—Lo sabes muy bien: por supuesto que no. Es sólo un viejo amigo, lo conozco de toda la vida.

Con el ceño fruncido, él dibujó en la mesa un círculo meditabundo: con un dedo, trazó alrededor vueltas y más vueltas; y Grady, que había creído zanjado el asunto, vio que aún no estaba todo dicho. Lo comprendió cada vez más con más intensidad a medida que surgían y se esfumaban nuevos círculos; y el suspense la puso en pie. Miró a Clyde desde arriba, expectante. Pero era como si él dudara de lo que tenía que decir.

—Peter y yo crecimos juntos y...

Clyde carraspeó, resuelto.

—No creo que lo sepas, supongo que quizá es nuevo para ti, pero... estoy prometido.

Fue como si los detalles más nimios de la cocina atrajeran de repente la atención de Grady: el tiempo que transcurría en un reloj invisible, la vena roja de un termómetro, un desplazamiento ligero como una araña en las cortinas suizas, una lágrima de agua suspendida del grifo y que no se decidía a caer: con todo esto levantó un muro, pero era tan delgado, tan endeble, que no anuló la voz de Clyde.

—Le mandé un anillo desde Alemania. Si eso es lo que significa comprometerse. Bueno —dijo—, ya te dije que soy judío: o, en todo caso, mi madre..., y ella está loca por Rebecca. No sé, Rebbeca es una buena chica: cuando estuve en el ejército me escribía todos los días.

El teléfono sonaba a lo lejos: Grady nunca había considerado tan importante una llamada; sin hacer caso del supletorio que había en la cocina, atravesó corriendo un laberinto de pasillos del servicio hasta llegar al apartamento exterior y a su propio cuarto. Era Apple, y llamaba desde East Hampton. Habla despacio, le dijo Grady, porque al otro lado de la línea sólo oía un montón de palabras farfulladas: ¿que intentaba arruinar a la familia?, dijo, cuando cayó en la cuenta de que la prolija y dramática parrafada de Apple se refería a Peter Bell y la foto del periódico: ay, alguien se la había enseñado. En circunstancias normales, Grady le habría colgado el teléfono; pero ahora, cuando hasta el suelo parecía haber perdido solidez, se aferró al sonido de la voz de su hermana. La sonsacó, se explicó, aceptó insultos. Poco a poco Apple se dulcificó hasta el punto de que puso al teléfono a su hijo pequeño y le hizo decir hola, tía Grady, ¿cuándo vienes a vernos? Y cuando Apple, asumiendo este ruego, le sugirió que fuese a pasar la semana a East Hampton, Grady no opuso la menor resistencia: antes de colgar quedó acordado que iría en coche a la mañana siguiente.

Junto a su cama había una muñeca de trapo, una niña fea y descolorida, con una madeja de hebras rojizas y desgreñadas; se llamaba Margaret, tenía doce años y seguramente era más mayor, porque ya era bastante adefesio cuando Grady la encontró abandonada por alguna otra niña en un banco del parque. En casa todo el mundo se había fijado en lo mucho que se parecían, pues las dos eran flacas, desaliñadas y pelirrojas. Ahuecó el pelo de la muñeca y le alisó la falda; era como en los viejos tiempos, cuando Margaret le había ayudado tanto: oh, Margaret, empezó, y se detuvo, paralizada por la idea de que los ojos de Margaret eran botones azules y de que la muñeca ya no era la misma.

Se desplazó con cuidado por la habitación y levantó la mirada hacia un espejo: también Grady había cambiado. No era una niña. Había sido una excusa tan ideal que en cierto modo se había empeñado en pensar que lo era: cuando, por ejemplo, le había dicho a Peter que no había pensado si se casaría o no con Clyde le dijo la verdad, pero sólo porque consideraba que aquello era un problema de adultos. Los matrimonios se celebraban mucho más adelante, cuando empezaba la vida gris y seria, y ella estaba convencida de que la suya no había comenzado; ahora, sin embargo, al verse oscura y pálida en el espejo, supo que la estaba viviendo desde hacía mucho tiempo.

Mucho; y Clyde formaba una parte trascendental de aquella vida: deseó verle muerto. Al igual que ocurría con la Reina de Corazones, siempre gritando que les cortaran la cabeza, todo era una fantasía suya, pues Clyde no había hecho nada que justificase la pena capital: no era un delito haberse prometido, tenía perfecto derecho a hacerlo, porque, la verdad, ¿qué podía reclamarle ella? No había nada que alegar, puesto que, sin llegar a admitirlo pero presente en sus sentimientos, siempre había tenido la premonición de brevedad, siempre había sabido que no podría entreverar a Clyde en el tejido práctico de su vida futura: en realidad, casi por esto mismo había elegido amarle: Clyde iba a ser, o habría sido, el fuego de antaño que se reflejaba en las nieves inminentes. Antes de apartarse del espejo había visto que todos los climas son imprevisibles: la temperatura descendía, las nieves ya se cernían sobre ella.

Se meció hacia atrás y hacia delante en un columpio de cólera y compasión de sí misma. Las acusaciones que se le podían hacer tenían un límite; se reservaba unas pocas para Clyde. Y la principal era la polvera que había encontrado en su coche; con una especie de floreo la sacó de una cómoda; en adelante, Clyde podría llevar a Rebecca en un tranvía.

El silencio y el fragor del béisbol llenaban la cocina; mordiéndose las uñas, Clyde estaba encorvado sobre la radio, pero en su rapto los ojos inquietos miraban de costado. Y ella se detuvo y se preguntó si en realidad debía. Sin embargo, un momento después lo había hecho: depositó la polvera al lado de Clyde.

—Pensé que a tu amiga quizá le gustara recuperarla. Debe de ser de ella, la encontré en el coche.

Una ráfaga de vergüenza enrojeció el cuello de Clyde; pero después, en cuanto se hubo guardado la polvera en el bolsillo, todo su cuerpo adoptó una dureza de acero y su voz ronca dijo, profunda como un pozo:

–Gracias, Grady. Ella la estaba buscando.

Era como si un ventilador eléctrico girase dentro de la cabeza de Clyde, y el sonsonete del locutor de deportes, atrapado en sus aspas, sonaba como ovaciones frenéticas. Buscó a tientas la polvera en el bolsillo y la apretó fuerte con la mano: un chasquido, un tintineo, y se rompió: añicos del espejo le perforaron la palma, que sangró un poco.

Le apenó haber roto la polvera, porque había pertenecido a un ser querido, su hermana Anne.

En abril, cuando conoció a Grady, había surgido un problema en la carrocería de su Buick, una avería que él mismo no supo reparar, y se lo llevó, por tanto, a Brooklyn para que lo viera su amigo Gump, que trabajaba en un taller. Anne zascandileaba por aquel taller la mayor parte del día. Era una chica aturdida y raquítica de diecinueve años que no aparentaba más de diez u once, y que entendía de motores tanto como un hombre. En casa tenía una colección de álbumes de recortes tan alta como ella, y que sólo contenían la fantasía de sus propios proyectos de construir automóviles ultrarrápidos y aeroplanos interplanetarios. Había sido la obra de su vida, lo único que había conocido, porque cuando

78

tenía tres años sufrió un ataque cardíaco y nunca había ido a la escuela. A pesar del esfuerzo colectivo de su familia, nadie había podido enseñarle a leer o a escribir; ella se había limitado a rechazar cualquier tentativa y, desafiante, había perseverado en sus verdaderas inquietudes: el funcionamiento de un motor y el batir de alas en el espacio exterior. En la casa había regido la norma de que nadie le alzase la voz: todos menos Clyde le habían mostrado la ostentosa consideración que se muestra hacia alguien cuya muerte se espera: Clyde, que no aceptaba este desenlace, que no se imaginaba la casa sin Anne hablando de motores o sin el repiqueteo de sus herramientas, su estupor como de cuento de hadas cuando oía un aeroplano o contemplaba el espectáculo de un coche nuevo, la había tratado con una rudeza natural que le granjeó la adoración de Anne. Somos hermanos, ¿no, Clyde?, era el modo en que ella describía lo que pensaba de su relación fraterna. Y Clyde no se avergonzaba de ella. Los otros, en cierto sentido, sí lo habían hecho. A su hermana Ida, en particular, la había contrariado que consintiesen que Anne se pasara el día entero metida en un taller: ¿qué pensará la gente de mí al ver a mi hermana vestida como una furcia y zascandileando con todos los gandules del vecindario? Clyde había dicho, fiel a la verdad, que aquellos chicos a los que Ida llamaba gandules estaban locos por Anne, y que eran los únicos amigos que tenía. Más difícil era, sin embargo, disculpar su forma de vestirse. Hasta los diecisiete años, Anne había llevado ropa infantil de la sección de niños de los almacenes Ohrbach; después, un día, se compró un par de zapatos con tacones de casi ocho centímetros, uno o dos vestidos de relumbrón, un par de pechos postizos, una polvera y un frasco de esmalte de uñas de color perla; luciendo por la calle su nueva indumentaria parecía una niña disfrazada: los desconocidos se reían. Clyde una vez había golpeado a un hombre por reírse de ella. Y a Anne le dijo que no les hiciera caso a Ida y los demás: que se vistiera como le apeteciese. Y ella le dijo que bueno, que personalmente le daba lo mismo una ropa que otra, pero que quería estar guapa para Gump. De sopetón ella se le había declarado a Gump y él había tenido la gentileza de decirle que si se casaba con alguien sería con ella. Clyde le consideraba desde entonces su mejor amigo: nunca se quejaba cuando Gump hacía trampas jugando a las cartas. Anne estaba presente el día en que llevó el Buick de Grady al taller de Brooklyn: calzaba tacones altos, y con una peineta de claveque en el pelo ayudó a Gump a localizar un fallo en el motor. Surcaba el cielo un arco iris primaveral y la mezcla del arco y un reluciente descapotable azul había sido excesivo para ella: cuando suplicó a Clyde que le dejase dar una vuelta en el automóvil, le dijo que en uno así, caray, en un coche así llegarías a un extremo del arco iris antes de que se borrase. De modo que él la había llevado por todo el barrio y pasaron por delante de una escuela a la hora de la salida de los niños (hasta los más pequeños saben más que yo, pero nunca han montado en un coche tan precioso); encaramada como un gorrión encima de un asiento y columpiando las piernas, saludaba a todo el mundo, como si fuese la heroína de un gran desfile. Y cuando él paró delante de la casa familiar para que ella se apease, Anne le sopló un beso desde el bordillo: él pensó que nunca en su vida había visto a una chica más bonita. Unos minutos más tarde, cuando subió corriendo los peldaños, cayó hacia atrás y rodó escalera abajo: había sido una misericordia del Señor, dijo Ida, que era la única que estaba en casa y que no llegó a tiempo de impedir la caída.

Clyde rememoró: durante los días en que Ida y su madre y Bernie y Crystal recibían el pésame y perpetuaban la aflicción funeraria, él había estado lejos de casa, pasándolo bien con Grady: no le iba a hablar de Anne a una niña alocada como ella. Cuando estuvo en el ejército había ligado con cantidad de chicas: a veces la cosa se limitaba a unas largas charlas, y también estaba bien, porque daba igual lo que les dijeras: en aquellos momentos transitorios, las mentiras o verdades eran arbitrarias y eras lo que se te antojaba ser. La mañana en que vio por vez primera a Grady en el parking, y más adelante, cuando ella ya había ido unas cuantas veces y él tenía la certeza de que había algo en el aire, ella le había parecido una chica como aquéllas, alguien con quien coincides en un tren; y él había pensado qué diablos, toma lo que se cruza en tu camino, y le había propuesto una cita. Después no la comprendía en absoluto: ella, en cierto modo, le había sobrepasado, había superado el límite de sus expectativas: una niña alocada, dijo, con pleno conocimiento de lo inapropiado de esta etiqueta y, sin embargo, incapacitado por la anchura del sentimiento de Grady y la estrechez del suyo propio, no pudo improvisar otra. Sólo si retrocedía podía mantener alguna; cuanto más importante se volvía ella, menos se lo dejaba entrever él, pues, por el amor de Cristo, ¿qué haría él cuando ella se fuese? Porque tarde o temprano ella se iría. Si él creyese otra cosa, quizá pudiera implicarse como ella quería que lo hiciese, pero la perspectiva que veía era la de toda la vida en metro y todo el tiempo con Rebecca, y aceptar esto significaba que no podía tomar demasiado en serio a una chica como Grady McNeil. Era duro. Y cada vez le resultaba más difícil. En el picnic se había quedado dormido un rato con la cabeza en el regazo de ella; en sueños, alguien había dicho que no era Anne la que había muerto, sino Grady: al despertar y ver su cara en una aureola de luz, sintió que una revelación le recorría entero: si hubiera sabido cómo, habría sido el momento de confesar su falsa indiferencia.

Tiró en un cubo de basura la polvera rota que sacó del bolsillo; no sabía si Grady lo había visto, porque cada vez que él hacía un movimiento ella apartaba la cabeza, como si tuviese miedo de que sus ojos se cruzaran o de que Clyde la tocase. Aturdida, y moviéndose con un torpe sigilo, había reunido los ingredientes para hacer un pastel; pero al separar los huevos había dejado caer una yema en un cuenco de claras y ahora miraba su equivocación como si hubiera topado con un obstáculo infranqueable. Clyde, que la observaba, se compadeció: tuvo ganas de acercarse y mostrarle lo fácil que era extraer la yema. Pero sonó un rugido inmenso en la radio; alguien había hecho un *home run* y aguardó a saber quién era: una vez más, no consiguió enterarse de lo que sucedía en el partido y apagó la radio con cierta violencia. De todos modos, el béisbol era un tema espinoso, porque le recordaba logros pretéritos y promesas incumplidas y sueños que se habían ido al traste. Mucho tiempo atrás, era algo indiscutible que Clyde Manzer llegaría a ser un campeón de béisbol: todo el mundo le ensalzaba como el mejor pitcher de la liga de aficionados; una vez, después de un partido en que hubo entradas sin bateos, y en que la banda del instituto precedió el desfile, le sacaron a hombros del campo: él había llorado, y su madre también, aunque las lágrimas de ella las causaba algo más que el orgullo: estaba convencida de que Clyde se había descarriado y que ya nunca cumpliría el proyecto materno de que se hiciera abogado. Era curioso el modo en que todo se había derrumbado. No le abordó ni un solo cazatalentos;

83

ninguna universidad le ofreció una beca. Había jugado un poco al béisbol en el ejército, pero allí no había suscitado una atención especial. En la actualidad había que engatusarle para que jugase de catcher, y el sonido más solitario de todo Brooklyn era para él el restallido de una pelota contra un bate. Al emprender una nueva carrera, decidió que quería ser piloto de pruebas; en consecuencia, después de alistarse en el ejército había solicitado un destino en las fuerzas aéreas: el motivo que adujeron para denegárselo fue una educación insuficiente. Pobre Anne. Había hecho que Ida se sentase para dictarle una carta: *Que se lancen a un lago, mi querido hermano. Son tontos. Tú serás el primero que pilote una de mis naves espaciales. Y algún día pondremos el pie en la luna.* Ida había añadido una posdata práctica. *Más vale que pienses en el tío Al.* El tío Al tenía una pequeña fábrica de maletas en Akron; más de una vez se había ofrecido a admitir en el negocio al hijo de su hermano; el ofrecimiento ofendía a Clyde, el campeón de béisbol: sin embargo, después de que le licenciaran del ejército, y al cabo de varios meses de desbarajuste, en que dormía todo el día y andaba callejeando toda la noche, una mañana se encontró a bordo de un autocar rumbo a Akron, una ciudad que detestaba antes de haberla pisado. Pero también odiaba casi todos los sitios que no fuesen Nueva York; si pasaba lejos de ella una temporada, se mustiaba de desdicha: estar en otro lugar le parecía una pérdida de tiempo, un exilio del río principal en unos afluentes de aguas mansas donde la vida era monótona y espuria. En realidad, Akron no había sido tan insulso. El trabajo le había gustado, aunque sólo fuera porque entrañaba una cierta autoridad; tenía a cuatro hombres a sus órdenes: sí, señor, le había dicho el tío Al, tú y yo vamos a ganar una pasta juntos, hijo. Lo cual habría podido realizarse de no haber sido por Berenice. Era la hija única del tío Al, una gatita mimada y muy crecida para su edad, con unos ojos de loca, de color azul lechoso, y una propensión a la histeria. No había nada inocente en ella; desde el principio fue obvio que tenía sus tretas, y no había transcurrido una semana cuando se le insinuó descaradamente. Clyde vivía en la casa del tío Al, y una noche, en la cena, notó el pie de Berenice por debajo de la mesa; ella se había descalzado y su pie caliente y sedoso, al frotarlo contra la pierna de su primo, le excitó de tal manera que no consiguió mantener el tenedor quieto. Fue un incidente que él evocaba posteriormente con la mayor vergüenza: que te excitase una niña parecía anormal y aterrador. Trató de trasladarse a un albergue de la Asociación de Jóvenes Cristianos que había en el centro de la ciudad, pero el tío Al no quiso ni oír hablar del asunto: nos gusta tenerte en casa, chico; vaya, la otra noche Berenice estuvo hablando de lo contenta que está desde que su primo Clyde vino a vivir con nosotros. Más tarde, un buen día, cuando se estaba secando después de una ducha, captó el azul claro de un ojo inconfundible brillando en el ojo de la cerradura del cuarto de baño. Todos los furores que él llevaba dentro afloraron hirviendo. Envuelto en una toalla, abrió de golpe la puerta; y Berenice, acurrucada a ciegas en un rincón, recibió muda y abochornada la sucia avalancha de palabrotas castrenses que le largó su primo: Clyde cayó en la cuenta demasiado tarde de que la mujer del tío Al lo había oído todo desde lo alto de la escalera. ¿Por qué le hablas a una niña de ese modo?, le había preguntado en voz baja. Sin perder tiempo en responder, él se vistió, hizo la maleta y abandonó la casa. Dos días después estaba en Nueva York. Ida dijo que era una lástima que no le hubiese gustado un poco más el negocio del tío Al.

El agitado hormigueo de energía que le escalaba los músculos le inoculaba una necesidad de acción. Estaba harto: de sí mismo y del talante meditabundo de Grady, que le deprimía de una manera muy parecida a las largas sesiones de tristeza de las que su madre era tan capaz. Siendo un adolescente había sufrido un impulso acuciante de robar, pues los peligros del acto habían sido la manera más eficaz de combatir el aburrimiento; en el ejército, y por motivos bastante similares, una vez había robado una maquinilla de afeitar eléctrica. Sintió de nuevo el impulso de hacer algo semejante.

–Vámonos de aquí pitando –explotó; después,

más calmado–: Dan una película de Bob Hope en Loew.

Con un tenedor, Grady pinchó la yema que no estaba en el bol correcto.

–Podríamos verla –dijo.

El tiempo se estaba descomponiendo en Lexington Avenue, y sobre todo porque habían salido de un cine con aire acondicionado; a cada paso que daban, el rancio soplo del calor les barría la cara. Un cielo nocturno y sin estrellas se había cerrado como la tapa de un féretro, y la avenida, con sus quioscos de prensa anunciando catástrofes y el sonido del neón parpadeante, semejante al zumbido de una mosca, parecía un cadáver extendido y estancado. Una lluvia de un color eléctrico había mojado la acera; los transeúntes, salpicados por aquellos resplandores húmedos, cambiaban de color con una rapidez camaleónica: los labios de Grady se volvieron verdes y después violetas. ¡Un asesinato! Con las caras ocultas por caretas de tabloides, un grupo que humeaba debajo de una farola, aguardando el autobús, miraba los ojos impresos de un asesino joven. Clyde también compró un ejemplar.

Grady nunca había pasado un verano en Nueva York y nunca había vivido una noche como aquélla. El calor abre el cráneo de una ciudad y revela su cerebro blanco y su centro de nervios, que chisporrotean como los filamentos de una bombilla. Y exuda un olor agrio tan humano que parece que la misma piedra se convierte en piel viva, membranosa y palpitante. No era que Grady no estuviese familiarizada con esa especie de desesperación acelerada que puede suscitar una ciudad, porque en Broadway había visto todos los elementos que la componen. Sólo que en este caso se trataba de algo que había conocido de forma indirecta y en lo que, por así decirlo, no había participado. Pero ahora ella ya no tenía escapatoria: era un ciudadano más.

Se detuvo a subirse los calcetines, que se los habían comido los zapatos, y entonces decidió esperar un momento, preguntándose cuánto tardaría Clyde en darse cuenta de que ella se había rezagado. En la esquina había una tienda al aire libre y la acera era como un jardín asombroso donde las fuentes son frutas y las flores están agrupadas en ramos de amplias sombrillas. Clyde se paró un instante allí y luego desanduvo deprisa el camino hacia ella. Y Grady tuvo ganas de azuzarle para que corriera por las calles y esconderle en la oscuridad del apartamento. Pero:

–Cruza la calle –dijo él– y espérame delante de aquel drugstore.

Una curiosa tensión afinó la cara de Clyde; debido a esto, ella no le preguntó por qué quería que le esperase allí. La visión que tenía de él quedó reducida a vislumbres captados entre ráfagas de tráfico; poco después le atisbó dando vueltas por la tienda de flores y frutas. En aquel mismo momento, Grady reconoció a la chica que caminaba hacia ella y que había estado en la clase de la señorita Risdale: así que se volvió y, mirando los escaparates centelleantes del drugstore, examinó el muestrario de suspensores atléticos. Un bramido subterráneo atravesó el cuerpo de Grady, pues estaba pisando una rejilla del metro: en lo profundo de las cavidades del subsuelo oyó un chirrido de ruedas de hierro y, a continuación, más cerca, un ruido estruendoso: ¡resonaron bocinas, chocaron parachoques, se escoraron llantas! Al volverse, Grady vio a un conductor maldiciendo a Clyde, que cruzaba la calzada entre automóviles lo más rápido que le daban las piernas.

La agarró de la mano, tiró de ella y corrieron hasta una callejuela más silenciosa y engalanada de árboles. Encorvados, jadeantes, él le puso en la mano un ramo de violetas y ella supo, como si lo hubiera visto con sus propios ojos, que las había robado. La sombra y el musgo veraniegos se dibujaban en las venas de las hojas, y Grady aplastó contra la mejilla el frescor de las violetas.

Cuando llegó a casa, telefoneó a Apple para decirle que al final no iría a East Hampton. Prefirió ir en su coche con Clyde a Red Bank, en Nueva Jersey; se casaron allí alrededor de las dos de la tarde.

5

La madre de Clyde era una mujerona de tez aceitunada que tenía el aspecto marchito y desencantado de quien se ha pasado la vida haciendo cosas para los demás: algunas veces, el tono de reflexión quejumbrosa de su voz daba a entender que lo lamentaba.

–*Kinder, kinder,* sólo estoy pidiendo un poco de calma –dijo, tocándose la frente con los dedos. Su pelo, estriado como una tabla de lavar y muy aplastado contra la cabeza por el remache de peinetas diminutas, se ondulaba en zigzags de plata.

–Bernie, cielo, haz lo que te dice Ida, no botes la pelota en casa. Ve a buscar a mamá a la cocina y ayuda a tu hermano con la nevera.

–¡No empujes!

–¿Empujarle? –dijo Ida, que le había dado el empujón–. Voy a lisiar al pequeño mentecato. Te lo advierto, Bernie, si botas una pelota en casa te dejo tullido.

Dicho lo cual, la señora Manzer reiteró su primer ruego. Llevaba pendientes de azabache, y aquellas cuentas se zarandeaban como cascabeles cuando movía la cabeza, suspirando un juramento imperceptible. En una mesa a su lado había un pequeño cactus en un tiesto, y apisonó la tierra alrededor de la planta; Grady, sentada enfrente, observó que era la novena o décima vez que repetía este gesto y dedujo que la señora Manzer estaba tan incómoda como ella misma: una conjetura que la ayudó a relajarse un poco.

−¿Lo entiende, mi querida señora? Oh, ya veo, sonríe y dice que sí con la cabeza; pero es imposible, usted no tiene hermanos.

−No, en realidad sólo tengo una hermana −dijo Grady, y metió la mano en su bolso en busca de un cigarrillo, pero como no había un cenicero en las cercanías, dudó de que la señora Manzer tolerase el tabaco y retiró la mano, sin saber, ay, qué hacer con ella: todos sus miembros le parecían muy engorrosos, lo cual era en gran parte culpa de Ida, que durante las últimas horas la había sometido a un interrogatorio tan fino como un encaje.

−¿Sólo una hermana? Es una lástima. Pero pronto tendrá hijos, me figuro. Una mujer sin hijos es insignificante: no está bien considerada.

−Pues conmigo no cuentes −dijo Ida, una chica

adusta y vengativa, de pelo estrafalario y un semblante hosco y cetrino–. Los chicos son odiosos; los hombres también. Cuantos menos mejor, digo.

–Dices disparates, Ida, querida –dijo su madre, trasladando el cactus a un alféizar, sobre el que cayó, desolador, un cuadrado de sol de Brooklyn–. Es una manera de hablar reseca; tienes que tener más savia dentro, querida. Quizá debieras ir a aquel monte, como la hija de Minnie el año pasado.

–No fue a ningún monte. Créeme, me han dicho dónde estuvo.

Era infrecuente el grado en que la señora Manzer y su hijo mayor duplicaban mutuamente los rasgos y facciones: aquella media sonrisa borrosa y ambigua, aquellos ojos imponentes, el lento espaciado de las palabras que caracterizaba el habla de los dos; a Grady le aceleraba el pulso ver aquellas características reproducidas y empleadas con un efecto tan distinto.

–El hombre lo es todo, un todo delicado –dijo, haciendo caso omiso de la insinuación de su hija, lo cual era también muy propio de Clyde, no hacer caso de lo que no le interesaba–. Y el hombre que hay en el niño: es eso lo que una madre debe proteger y en lo que debe confiar, como Bernie: un encanto de niño, tan bueno con su mamá, un ángel. Así era también mi Clyde. Un ángel. Si tenía un Milky Way siempre le daba la mitad a su mamá. Me gustan mucho las chocolatinas. Pero ahora..., sí, los chicos cambian cuando crecen y no se acuerdan tanto de su madre.

—¿Ves? Estás diciendo lo mismo que yo: los hombres son unos ingratos.

—Ida, querida, por favor, ¿me quejo yo? Es normal que un niño no quiera a su madre como su madre le quiere a él; los niños se avergüenzan del amor de su mamá: eso forma parte del amor maternal. Pero cuando un chico se hace hombre está bien que dedique su tiempo a otras mujeres.

Se instauró entre ellas un silencio en el que no había la menor tensión, como sucede a menudo entre personas que acaban de conocerse. Grady pensó en su madre, en los afectos complicados que habían existido entre ellas, en los momentos de amor que —¿por incredulidad?, ¿por una duda implacable?— ella había rechazado; y al meditar si habría una oportunidad de remediarlo, vio que no había ninguna, pues sólo una niña habría podido hacerlo, y la niña, al igual que la oportunidad, ya no existía.

—Ah, ¿qué hay peor que una vieja que habla demasiado, una *yenta*?[1] —dijo la señora Manzer, con un suspiro vivaz. Estaba mirando a Grady: no con una expresión que preguntase: ¿por qué mi hijo se ha casado contigo?, porque no sabía que se habían casado, sino: ¿por qué mi hijo ama a esta chica?, lo cual es una pregunta más profunda para una ma-

---

1. Una cotilla, chismosa en yiddish. *(N. del T.)*

dre, y Grady la leyó en sus ojos—. Usted es educada y me escucha. Pero ahora voy a contener la lengua y escucharla a usted.

Al imaginarse la visita a Brooklyn, Grady se había visto a sí misma como un testigo invisible que se desplazaba sin que la observasen a los ámbitos de la vida de Clyde a los que se llegaba al cabo de una hora en metro: sólo en la puerta se había dado cuenta de lo poco realista que era esto, y de que a ella también la verían, tanto como a los demás: ¿quién eres? ¿Qué tienes que decir? No era impertinente que la señora Manzer preguntara, y Grady afrontó el desafío y se forzó a contestar:

—Me parece..., creo que se equivoca... con Clyde —tartamudeó, tras haber abordado el tema más próximo—. Clyde le tiene un afecto inmenso.

Supo al instante que había dicho algo fuera de lugar, e Ida, con un aire más bien altanero, no perdió tiempo en decírselo:

—Todos los hijos de mamá la quieren mucho; en este aspecto tiene mucha suerte.

Si un extraño es tan indiscreto que hace comentarios sobre las lealtades de una familia debe esperar una reprimenda, y Grady aceptó la de Ida con una elegancia que daba a entender que no sabía que la estaba regañando. En efecto, los Manzer eran una familia: la fragancia consumida y las posesiones raídas de la casa daban testimonio de una vida en común y de una unidad que ningún altercado podía perturbar. Aquella vida, aquellas habitaciones les pertenecían; y se pertenecían unos a otros, y Clyde estaba más unido a su familia de lo que él mismo sabía. Para Grady, que en este sentido tenía una escasa noción de familia, era una atmósfera extraña, cálida, casi exótica. Sin embargo, no la hubiese elegido para ella –las ineludibles presiones asfixiantes de la intimidad con otros la habrían mustiado enseguida–: su organismo precisaba el clima frío y exclusivo de lo individual. No tenía miedo de decir: «Soy rica, resido en una isla llamada dinero», pues conocía con exactitud el valor de aquella isla, sabía que sus raíces se hundían en aquel suelo, y que gracias al dinero podía permitirse reemplazar casas, muebles, personas. Si los Manzer entendían la vida de otro modo, era porque no habían sido educados para estas ventajas: la compensación estaba en un mayor apego a lo que poseían, y para ellos, sin duda, el ritmo de la vida y la muerte resonaba en un tambor más pequeño pero más concentrado. Eran dos maneras de ser distintas, o al menos así lo veía ella. Al fin y al cabo, uno debe pertenecer a un lugar: hasta el halcón de alto vuelo regresa a la muñeca de su amo.

La señora Manzer le sonrió; con la persuasiva voz baja de una narradora a la luz de la lumbre, dijo:

–Cuando yo era niña vivía en una ciudad pequeña, en la ladera de un monte. Había nieve en la cima y un río verde al pie: ¿lo ve? Ahora escuche y

95

dígame si oye las campanas. Una docena de campa-
narios, y siempre tañendo.

Grady dijo:

—Sí, las oigo.

Las oía, e Ida, impaciente, dijo:

—¿Es lo de los pájaros, mamá?

—Los forasteros que venían la llamaban una
ciudad de pájaros. Cuánta razón tenían. Al atardecer, cuando casi había oscurecido, volaban en bandadas y a veces no se podía ver cómo salía la luna:
nunca había habido tantos pájaros. Pero el invierno
era malo y las mañanas eran tan frías que no podíamos romper el hielo para lavarnos la cara. Y aquellas mañanas veíamos algo triste: sábanas de plumas
donde habían caído pájaros congelados: créame. El
trabajo de mi padre consistía en barrerlos como si
fueran hojas viejas; luego los echaba al fuego. Pero
a unos cuantos se los traía a casa. Mamá y todos
nosotros los cuidábamos hasta que reponían fuerzas
y se marchaban volando. Se marchaban cuando
más los amábamos. ¡Oh, como los hijos! ¿Lo ve?
Después volvía el invierno, veíamos a los pájaros
congelados y sabíamos con el corazón que a algunos de ellos los habíamos salvado algún año anterior.

La última ceniza encendida en su voz parpadeó
y se oscureció; pensativa, retraída, respiró con un
tono estremecido y bajo: cuando más los amábamos. Qué cierto.

Y después tocó la mano de Grady y dijo:

–¿Puedo preguntarle su edad?

Fue como si los dedos de un hipnotizador hubieran surgido cerca de los ojos de Grady: alertada, arrebatada de un sueño profundo donde los queridos pájaros, asesinados por otros inviernos, ardían en fuegos de alas revoloteando, parpadeó y dijo:

–Dieciocho. –No, aún no, faltaban semanas para su cumpleaños, casi dos meses de días intactos, sin deslustrar, como un pastel de cerezas o como unas flores, que de repente quiso reclamar–: Diecisiete, en realidad. Hasta octubre no cumplo dieciocho.

–A los diecisiete yo ya estaba casada; a los dieciocho traje al mundo a Ida. Así debería ser: que los jóvenes se casen jóvenes. El hombre trabajará entonces. –Habló con vehemencia, y con más vivacidad de la que parecía necesaria: esto se esfumó enseguida y la dejó pensativa–. Clyde se casará. No me preocupa.

Ida lanzó una risa tonta.

–Tú no, pero Clyde sí; tiene preocupaciones, quiero decir. He visto a Becky esta mañana en el A&P,[1] y estaba furiosa; así que le he dicho ¿qué mosca te ha picado, cielo? Y ella me ha dicho: Ida, dile a ese hermano tuyo que se siente encima de una tachuela.

Fue como si a Grady la hubieran trasladado bruscamente a una altitud áspera y perjudicial; aguardó,

1. Cadena de supermercados. (N. del T.)

con un zumbido en los oídos, sin saber por qué sendero bajar.

–¿Rebecca está enfadada? –dijo la señora Manzer, con una ligerísima semilla de inquietud en su tono–. ¿Y ahora por qué, Ida?

Ella alzó los hombros.

–¿Yo tengo que saberlo? ¿Qué sé yo de lo que pasa entre esos dos? De todos modos, le he dicho que se pasara hoy.

–Ida.

–¿Por qué dices Ida, mamá? Hay comida de sobra para todo el mundo.

–Jesús, vas a tener que comprar una nevera nueva; ya nadie podría arreglar la vieja.

Era Clyde, que tras haberse acercado sin que lo advirtieran, se quedó en el umbral de la habitación, manchado de grasa de la cabeza a los pies y con una correa deshilachada del Frigidaire en la mano.

–Y oye, mamá..., ¿por qué no le dices a Crystal que se ocupe? Tengo que volver al trabajo a las cuatro.

Justo detrás de él, apareció Crystal y se apresuró a defenderse.

–Dime, mamá, ¿qué crees que soy yo? ¿Un caballo? ¿Un pulpo? Me he pasado todo el día en esa cocina mientras vosotros ganduleáis en los sitios frescos de la casa; y me mandáis a Bernie para sacarme de quicio, y Clyde con toda la nevera desmontada por el suelo.

La señora Manzer levantó una mano y puso fin a las quejas de todos; sabía manejarlos.

—Calla ya, Crystal, cariño. Iré a hacerlo yo misma. Clyde, lávate; Ida, ve a poner la mesa.

Clyde se entretuvo cuando los demás salieron: una estatua tenue, a cierta distancia; su camisa de seda, mojada de sudor, se le adhería como una fina pátina de mármol. Mucho tiempo antes, en abril, Grady había tomado una fotografía mental de Clyde, una foto intensa, física, rotunda como un recortable sobre un papel blanco: a solas, a menudo aislada hacia medianoche, la dejaba emerger como un símbolo embriagador que le inyectaba susurros en la sangre; ahora, al acercarse él, cerró los ojos y se retiró hacia la imagen amada, pues su marido, erguido ante ella, le parecía una distorsión, otra persona.

—¿Estás bien? —dijo él.

—¿Por qué no iba a estarlo?

—¿Sí? —Se dio un golpe en el muslo con la correa del Frigidaire—. Bueno, recuerda que fuiste tú la que quiso venir.

—Clyde. Lo he pensado bien. Y creo que más vale que se lo digamos.

—No puedo decírselo. Ah, cariño, maldita sea, sabes muy bien que no puedo, todavía no.

—Pero, Clyde, pero algo, yo...

—Tranquila, pequeña.

Durante unos minutos, como una presencia circulante, el sudor agridulce de Clyde persistió en el aire, pero una brisa insignificante atravesó la habitación y se lo llevó consigo: entonces ella abrió los ojos, sola. Se apostó junto a una ventana y descansó sobre un radiador frío. Unos patines chirriantes raspaban la calle como una tiza rechinando en una pizarra; pasó un sedán marrón en cuya radio sonaba muy alto el himno nacional; dos chicas con trajes de baño en la mano caminaban por la acera. El interior de la casa de los Manzer era muy similar al exterior; separada de la acera por un seto enano, era una de las casas de una manzana de quince que, aunque no idénticas, eran conjuntos más o menos indiscernibles de estuco rugoso y ladrillo muy rojo. De una forma similar, el mobiliario de la señora Manzer tenía aquel aire de propiedad anónima: suficientes sillas, multitud de lámparas, un número de objetos un poco excesivo. Sin embargo, los objetos eran los únicos que reflejaban un tema: dos budas con los costados rectos sostenían una biblioteca de tres cuerpos; sobre la campana de la chimenea, irlandeses achispados bailaban riéndose, con jarras en la mano; una doncella india, hecha de cera rosa, mantenía un soñador, risueño e incesante coqueteo con Mickey Mouse, cuya figura, del tamaño de una muñeca, sonreía encima de la radio; y, como ángeles cómicos, una caterva de payasos de trapo miraban desde las grandes alturas de una repisa. Así eran la casa, la calle, la habitación: y la señora Manzer había vivido entre un río verde y la cumbre blanca de una montaña en una ciudad de pájaros.

100

Bernie irrumpió en la habitación imitando el ruido de un motor con la lengua y llevando en la mano la maqueta de un aeroplano por encima de su cabeza. Era un niño quisquilloso, remiso, blanco como un gusano, pelón, con las rodillas magulladas y vendadas y unos ojos intrépidos.

—Ida ha dicho que tenía que venir a hablar contigo —dijo, zumbando alrededor como un murciélago salido del infierno, y Grady pensó que sí, que Ida lo habría dicho—. Se le ha caído el mejor plato de mamá y no se ha roto, pero mami está muy enfadada de todas maneras porque a Crystal se le ha quemado la carne y Clyde ha dejado la nevera inundada.

Se desplomó y se retorció en el suelo como si alguien le estuviese haciendo cosquillas.

—¿Pero por qué está tan enfadada con Becky?

Sintiéndose un poco inmoral, Grady se alisó la falda y, cediendo a un impulso, dijo:

—No lo sé; ¿lo está?

—Espero decírtelo; y a mí me parece divertido, nada más.

Giró las hélices del aeroplano y dijo:

—Ida dijo que Crystal la desafió, y eso tiene gracia porque Becky viene aquí a todas horas sin que nadie la desafíe. Si fuese mi casa, le diría que se quede en la suya. Yo no le gusto.

—¡Qué avión más bonito! ¿Lo has hecho tú mismo? —dijo Grady de repente, porque la inquietaron unos pasos que oyó en el pasillo. En realidad sí admiraba el avión, que era insólito; su frágil armazón y sus tiras de papel delicado estaban ensamblados con un esmero oriental.

Bernie señaló con orgullo un marco de imitación de piel en el que había varias fotos Kodak juntas.

–¿La ves? Lo hizo ella, Anne. Hizo miles y millones, de todo tipo.

La niña fantasmal, con aspecto de gnomo, de la que Grady supuso que era una compañera de juegos de Bernie, apenas retuvo su atención un instante, pues a la izquierda de la niña había una foto de Clyde, elegante con su uniforme del ejército y rodeando con un brazo protector la cintura de una chica indefinida pero vagamente bonita. La chica, que llevaba una falda demasiado corta y un corpiño demasiado grande, sostenía una bandera de Estados Unidos. Al mirar la foto, Grady experimentó un eco frío como el que uno siente cuando en una situación original tiene el pálpito de que ya ha sucedido antes: si conocemos el pasado y vivimos el presente, ¿es posible que soñemos el futuro? En efecto, los había visto en un sueño, a Clyde y a la chica, cogidos del brazo, mientras ella, en una escalera mecánica de protesta sorda, pasaba por delante y se alejaba de ellos. Así que debía ocurrir; lo sufriría en la vigilia; y cuando lo estaba pensando, oyó la voz de Ida, que sonó como un árbol alto que cae y se estrella contra el suelo:

102

inmovilizada por su peso, Grady se encogió en su silla.

—Yo saqué todas ésas, ¡me chiflaba hacer fotos! ¿No están guapísimos? ¡Esa foto de Clyde! Fue justo después de alistarse en el ejército, cuando lo mandaron a Carolina del Norte, y entonces Becky se empeñó en que yo la acompañara en el tren, ¡nos reímos muchísimo! Y allí conocí a Phil. Es el que está en bañador. Ya no le veo; pero el año en que dejó el ejército nos hicimos novios y me llevó a bailar treinta y seis veces, al Diamond Horseshoe y muchos sitios así.

Cada fotografía encerraba una historia e Ida se las refirió todas, y entretanto Bernie ponía discos de música vaquera en un fonógrafo antiguo.

Qué infinitas energías se malgastan armándose de valor contra crisis que rara vez acontecen: la fuerza que mueve montañas; y, sin embargo, quizá este mismo desperdicio, esta espera angustiosa de cosas que no suceden, prepara el camino y nos permite aceptar con serenidad funesta a la fiera que por fin aparece: Grady oyó, resignada, el timbre de la puerta, un sonido que desinfló la compostura de todos los demás (excepto de Clyde, que estaba arriba lavándose las manos) como una aguja hipodérmica. Aunque en aquel momento tenía todos los motivos para marcharse, Grady estaba decidida a encarar la situación, y cuando Ida dijo: «Ya ha llegado Becky», Grady sólo miró hacia el tropel de payasos angélicos y furtivamente les sacó la lengua.

6

El día siguiente, lunes, dio comienzo una memorable ola de calor. Aunque los periódicos matutinos sólo decían que haría bueno y caluroso, al mediodía era un hecho patente que estaba sucediendo algo excepcional, y los oficinistas, al volver del almuerzo con la expresión desesperada y azorada de niños a los que intimidan, empezaron a marcar el número del parte meteorológico. Hacia media tarde, cuando el calor se cerraba como una mano homicida sobre la boca de la víctima, la ciudad se revolvía y retorcía pero, amordazada su protesta, frenada su prisa, entorpecidas sus ambiciones, era como una fuente seca, un monumento inútil, y se sumió en un coma. Las humeantes extensiones de sauces mustios de Central Park eran como un campo de batalla donde muchos hubiesen caído: hileras de heridos extenuados yacían acurrucados en la quietud mortal de la sombra, mientras fotógrafos de prensa, documentando el desastre, se movían entre ellos, sepulcrales. En la jaula de los felinos del zoo, los leones dolientes rugieron.

Grady vagaba sin rumbo de una habitación a otra, y en muchas esquinas había relojes, todos ellos muertos, que le guiñaban un ojo maligno, dos proclamando las doce, otro las tres, y otro marcando las diez menos cuarto: desquiciado, como aquellos relojes, el tiempo fluía por sus venas: espeso como la miel, cada instante se negaba a consumirse: seguía y proseguía, como los dorados rugidos de los leones en sus rondas, que se atenuaban en las ventanas y ella sólo oía débilmente, un sonido que no acertaba a identificar. Nostálgicos, rojizos atisbos de geranios flotaban en la habitación de su madre, y Lucy, tachonada de diamantes, con una estola de armiño aplastada alrededor de un arrugado oropel vespertino, pasó como un espectro, dejando tras ella su voz artificial de fiesta: vete a dormir, querida mía, dulces sueños, querida; y el olor residual de los geranios decía risa, fama, decía Nueva York, invierno.

Aguardó en el umbral. Un tremendo desbarajuste reinaba en la sublime habitación verde: las mantas de verano estaban retiradas, el contenido de un cenicero desparramado sobre la alfombra plateada, había migas y cenizas de cigarrillo en la cama deshecha; mezclados con el revoltijo de las sábanas había una camisa de Clyde, un par de calzoncillos y un precioso abanico antiguo que pertenecía a una colección de Lucy. A Clyde, que pasaba tres y cuatro noches por semana en el apartamento, le gustaba aquella habitación y se la había apropiado; guardaba su ropa de recambio en el ropero privado de Lucy, motivo por el cual sus pantalones caqui siempre olían un poco a geranio. Pero Grady, como si no entendiera por qué el dormitorio tenía que tener aquel aire de haber sido invadido, desvalijado por ladrones, despotricó contra él con una expresión horrorizada; sólo atinaba a pensar que algo implacable había ocurrido allí, tan cruel que nunca se lo perdonarían; y mariposeaba intentando arreglarlo, y recogió la camisa de Clyde y, sin saber qué hacer, se acarició la mejilla con la manga.

Él la amaba, la amaba, y hasta que él la había amado nunca le había importado estar sola, le había gustado muchísimo estarlo. En el colegio, donde todas las demás chicas se enamoraban unas de otras y desfilaban en parejas de novias, ella se había mantenido aparte: salvo una vez, que fue cuando permitió que Naomi la idolatrase. Naomi, académica, burguesa como un servilletero, había escrito poemas apasionados que rimaban de verdad, y en una ocasión Grady había accedido a que Naomi la besara en los labios. Pero no la amaba: rara vez alguien ama a una persona a la que no envidie en algún sentido; Grady no envidiaba a ninguna chica, sólo envidiaba a los hombres, y por eso Naomi quedó extraviada en su pensamiento y luego la perdió, como una vieja carta que nunca había merecido una lectura atenta. Le gustaba estar sola, pero no, como le acusaba Lucy, para pasarse el tiempo en un estado de abatimiento apático, que es el vicio de los muy domesticados, de las personas de natural manso: palpitaba en ella un frenético vigor nervioso que cada día le exigía proezas más arduas, esfuerzos más audaces: la policía informó al señor McNeil sobre la forma de conducir de su hija; en dos ocasiones la pillaron en Merritt Parkway circulando a más de ochenta millas por hora, y más. No mintió cuando dijo a los agentes que la detuvieron que no tenía la menor idea de a qué velocidad iba: la velocidad la entumecía, le apagaba las luces de la mente y sobre todo amortiguaba el exceso de sentimiento que tan dolorosos volvía los contactos personales. Otros tocaban tonos demasiado agudos y ella respondía con acordes altísimos. Por ejemplo, Steve Bolton. Y también Clyde. Pero él la amaba. La amaba. Si el teléfono sonase. Quizá suene si no lo miro; a veces sucede. ¿O estaba él en un terrible aprieto y por eso no llamaba nunca? Pobre señora Manzer, llorando, e Ida, gritando, y Clyde: vete a casa, te llamaré más tarde, éstas fueron sus palabras textuales, ¿y hasta cuándo podría soportarlo, sola entre relojes parados y sonidos que llegaban acallados por el calor a las ventanas? Se hundió en la cama e inclinó la cabeza adormecida, embargada de tristeza.

–Dios, McNeil, ¿no funciona el timbre? Llevo media hora aquí plantado.

–Estoy dormida –dijo ella, atisbando a Peter con ojos hoscos de sueño, desilusionados. Señaló la puerta con un gesto: ¿y si Clyde se presentaba estando Peter allí? En resumidas cuentas, no era un momento oportuno para verle.

–No me mires como si fuese una pesadilla –dijo él, al pasar por delante, con un tono afable–. Aunque debo decir que me siento como si lo fuera, después de haber pasado todo este día asqueroso en un vagón de tren y rodeado de pequeños vándalos, rebosantes de energía después de pasar dos semanas al aire libre. Espero que no te importe que utilice tu ducha.

Como no quería que Peter presenciase el saqueo de la habitación de su madre, le precedió corriendo a lo largo del pasillo.

–Ya me acuerdo: has estado en Nantucket –dijo ella cuando entraron en su habitación, donde él se desabrochó de inmediato una chaqueta de lino que se le pegaba al cuerpo–. Recibí tu postal.

–Ah, ¿te mandé una? Qué amable por mi parte. En realidad, queríamos que vinieras; llamé mil veces pero no contestó nadie. Fuimos en el velero de Freddy Cruikshank y nos divertimos mucho, sólo que a mí me mordió un cangrejo... en un sitio que no puedo enseñarte: a propósito, date la vuelta, que voy a quitarme el pantalón.

108

Sentada de espaldas a él, Grady encendió un cigarrillo.

—Debió de ser divertido —dijo, recordando otros años, veranos en la costa con velas blancas, estrellas de mar, veranos opuestos—. No he salido de la ciudad desde que nos vimos.

—Lo cual se ve a la legua, ¿no crees? Pareces un lirio: un poco fúnebre, para mi gusto.

Fanfarroneaba: su cuerpo esbelto, muy cuidado, tenía un color parecido al té, y vetas de sol le surcaban el pelo.

—Creía que eras una apasionada de las grandes extensiones al aire libre; ¿o eso fue sólo en tu época de marimacho?

—Últimamente no me he sentido muy bien —dijo, y Peter, ya en el cuarto de baño, hizo una pausa para preguntar si era algo grave—. No, la verdad. El calor, supongo. Nunca estoy enferma, ya sabes.

Sólo el día anterior. Fue después de Brooklyn; recordó que había cruzado el puente y que paró delante de un semáforo.

—Sólo ayer. Me desmayé —dijo, y al decirlo algo en su interior se revolvió y cayó: una sensación no muy distinta de la que había sentido cuando el semáforo empezó a dar vueltas y la oscuridad le sobrevino. Duró un momento; la luz, de hecho, apenas había cambiado; aun así, hubo un estrépito de bocinas tocando: perdón, dijo ella, y arrancó el coche.

—No te oigo, McNeil. Habla más alto.

–Da igual. Estaba hablando sola.

–¿También hablas sola? Estás para el arrastre. Los dos necesitamos algún sedante, un martini o dos. ¿Te acordarás de no poner vermut dulce? Te lo he dicho cantidad de veces, pero al parecer no sirve de nada.

Reluciente, plenamente revivido, salió del cuarto de baño y lo encontró todo dispuesto: una coctelera de martinis satisfactorios, en el fonógrafo «Fun to Be Fooled», en las puertas de cristal la pirotecnia de la puesta de sol y un panorama de postal.

–No puedo disfrutar de esto mucho tiempo –dijo, dejándose caer entre los almohadones–. Es estúpido, pero ceno con alguien que quizá me dé un trabajo: en la radio, nada menos.

Brindaron para que tuviera suerte.

–No hace falta, siempre tengo suerte; verás, cuando cumpla treinta habré tenido la peor clase de éxito, ser capaz, organizado, alguien que se ría de la gente que sólo quiere tumbarse a la bartola.

No era una profecía frívola, tal como sabía Peter, juicioso, sorbiendo su bebida, y sabía también que probablemente era lo mejor que podía ocurrirle, porque admiraba en secreto, de una forma irrevocable, al hombre que había descrito. Y la mujer con un jardín de flores era Grady, la esposa digna de que le regalaran perlas por Navidad, que recibe a sus invitados en una mesa impecable y cuya presencia civilizada enaltece al marido, tal era como la veía Peter en sus expectativas, y, al observar cómo ella le servía otro cóctel, igual que quizá lo hiciera algún atardecer de cinco años más tarde, pensó en cómo se había ido el verano, sin ver a Grady una sola vez, sin llamar nunca, todos los días un penoso avance hacia el día en que, después de extenuarse con quienquiera que estuviese, ella recurriría a él diciendo: «Peter, ¿eres tú?» Y sí. Al entregarle la bebida, Grady advirtió consternada una aprensión injustificada en los ojos de Peter, una codicia en la boca que era muy ajena al mapa exuberante de su cara; cuando los dedos de los dos se tocaron alrededor del tallo de la copa, ella tuvo de pronto una idea absurda: ¿será posible que estés enamorado de mí? El pensamiento la rozó como una gaviota a la que ahuyentó enseguida, qué criatura más tonta, pero volvió, volvió una y otra vez, y se vio obligada a considerar lo que Peter significaba para ella: apreciaba su buena voluntad, respetaba sus críticas, le importaban sus opiniones, y por eso ahora, sentada, aguzaba el oído para oír a Clyde, más que por temor de que llegara, porque Peter, al dictar sentencia, le haría darse cuenta de lo que había hecho y ella no tenía fuerzas para afrontarlo, no todavía. Dejaron que la habitación se oscureciese, y la superficie suave y complaciente de sus voces se removía y suspiraba en derredor, lo que hablaban no parecía importar, era más que suficiente que emplearan las mismas palabras, que aplicasen los mismos valores, y Grady dijo:

—¿Desde cuándo me conoces, Peter?

—Desde que me hiciste llorar —dijo Peter—. Era una fiesta de cumpleaños y me volcaste una masa de helado y pastel encima de mi traje de marinero. Oh, de niña eras malísima.

—¿Y ahora soy tan distinta? ¿Crees que me ves tal como soy?

—No —dijo él, riéndose—. En realidad, no quisiera hacerlo.

—¿Porque yo podría no gustarte?

—Si dijera que te veo tal como eres, significaría que te rechazo, que te considero superficial y una pesada.

—Podrías pensar de mí cosas mucho peores.

La silueta de Peter se recortó contra las puertas de un verde cada vez más oscuro y su sonrisa titiló como las luces al otro lado del parque, porque una sensación de lucha fantasmal se apoderó de él al intuir la falta de sinceridad de Grady; era como si fuesen dos figuras envueltas en sábanas que se aporreaban: ella quiere exonerarse de culpa sin confesar que yo pudiera tener motivos para culparla.

—¿Mucho peor que ser una pesada? —dijo él, y renació su sonrisa—. En ese caso, tenías razón en desearme suerte.

Peter se marchó poco después y la dejó sola en la habitación a oscuras, iluminada a intervalos por espeluznantes fucilazos, y pensó ahora lloverá, y no llovió, y pensó ahora vendrá Clyde, y no vino. Encendió varios cigarrillos que dejó apagarse en sus labios, y las horas, espinosas, crucificantes, aguardaron con ella y escucharon cuando ella escuchaba: pero él no vino. Pasada la medianoche, llamó al portero y le pidió que le llevaran su coche. Los relámpagos saltaban de una nube a otra, siniestros mensajeros insonoros, y el automóvil, como un rayo caído, hendió las afueras de la ciudad, atravesó pueblos tediosos, muertos en la noche: al despuntar el alba vislumbró el mar.

Déjame en paz, joder, le dijo él a Ida cuando ella fue a buscarle al parking, e Ida le dijo: mira quién fue a hablar, ¿eh? Pegarle a tu madre, y ahora ella está en la cama con el corazón destrozado, por no hablar de Becky, que ahora dice que su hermano ha dicho que te matará, así que escucha, sólo te estoy avisando.

Pero él no había pegado a su madre, Ida sólo lo decía para cargar las tintas, ¿o sí la había pegado? Estuvo cegado durante un minuto, al ver a aquellos marrulleros en el pasillo, y oh, cómo les había parado los pies: ésta es mi mujer, les había dicho, y a la vista del lío que habían montado ni por Jesucristo volvería él a pisar aquella casa. Como si no supiera por qué seguían aferrados a él: claro, no estaba nada mal disponer de un sueldo más: amor, ¿habían amado ellos a Anne? Salvo que lo lamentaba si había pegado a mamá, por favor, Dios santo, confiaba en no haberlo hecho. Durante toda su infancia había roba-

113

do Baby Ruths y se los había llevado a su madre; y Milky Ways que guardaban en la nevera y cortaban en trocitos: mi Clyde es un ángel, le compra chocolatinas a su mamá. Mi Clyde será un abogado famoso. ¿Acaso creía ella que a él le gustaba trabajar en un parking? ¿Que trabajaba allí sólo para fastidiarla, cuando en todo momento podía ser un abogado famoso, un famoso lo que fuera? Ocurren cosas, mamá. Y Grady McNeil formaba parte de las cosas que ocurren. Pero ¿qué pasa con Grady? Había salido por la puerta y no había vuelto a verla. Bubble dijo: Cuelga ese teléfono, ahórrate las monedas, sólo está picada. Pero ella no se había picado y aquello entonces no tenía sentido, a no ser que fuese porque él no había aparecido en toda la noche: total, que se había ido al bar donde trabajaba Bubble y lo pasó fatal: a veces uno tiene que estar solo, ¿vale? Y si ella iba a seguir casada con él, tendrían que buscar una nueva manera de vivir. Para empezar, quería que ella dejara aquel apartamento. Él conocía una casa en la calle Veintiocho donde alquilaban un par de habitaciones. Pero ¿dónde estaba Grady? Ah, cállate, dijo Bubble. Bubble ya había cumplido los treinta y trabajaba de camarero en un club nocturno de poca monta; era un amigo de los tiempos del ejército y era como su nombre: redondo, calvo, de piel muy fina.[1]

1. Bubble significa burbuja. *(N. del T.)*

Una mañana, el cuarto día de la ola de calor, Clyde sintió al despertar que un brazo le rodeaba; pensó que había dormido con Grady y el corazón se le empezó a acelerar: cariño, dijo, acurrucándose más, oye, pequeña, te he echado de menos. Bubble exhaló un gran ronquido y Clyde le apartó de un empujón. Estaba viviendo en casa de Bubble, una habitación amueblada en el extremo norte de la ciudad; había una lavandería china abajo, y en la calle unos niños estragados por el calor del verano gritaban a todas horas ¡chino, chino!, y algunas mañanas había un organillero; hoy estaba, por ejemplo, y sus canciones a un centavo tintineaban como las monedas que las amas de casa lanzaban a la acera. Clyde la añoraba, los globos de colores, los carros de flores se la recordaban, y rodó a la otra punta de la cama; allí tumbado, arrullando una imagen de Grady, deslizó una mano y le acarició las partes. Estate quieto, dijo Bubble, déjame dormir, y Clyde retiró la mano, avergonzado, pero Grady subsistió, temblorosa, frustrada, y él recordó a otra chica a la que una vez había visto en Alemania: era un día de primavera, despejado, sin nubes, él estaba paseando por el campo y, al cruzar un puente sobre un río cristalino y estrecho, miró abajo y vio dos caballos blancos atados a un carromato, como si caminaran por debajo de la superficie del agua, y con las riendas enrolladas en los brazos de una joven cuya desfigurada cara de ahogada relucía bajo el agua danzarina; se quitó la ropa, con intención de desatarla, pero tuvo miedo y allí se quedó ella, temblorosa, frustrada, inasequible para él en la muerte como Grady parecía en la vida.

Recogió su ropa de puntillas y salió sigiloso del cuarto; había un teléfono público en el pasillo, marcó el número de Grady y como de costumbre no contestó nadie. Un enjambre de críos zumbó a su alrededor en el portal de abajo, eh, jefe, deme un pitillo, y se abrió paso entre ellos, balanceando los codos, y una marisabidilla, una chica flaca, con un bañador apolillado, dijo, eh, oiga, lleva la bragueta abierta, y corrió detrás de él, señalando. Jesús, dijo él, y la agarró por los hombros: el pelo de la niña flameó, flotó, y la cara, pálida de terror, pareció que ondulaba, como la cara de la chica en el río, se difuminaba, como la de Grady cuando él intentaba verla intensa, entera, como la suya propia, y las manos se le ablandaron, cruzó la calle corriendo y los críos le chillaron: métase con alguien de su tamaño. ¿Y quién sería ese alguien de su tamaño, cuando se sentía tan ruin y pequeño?

Sentado ante el mostrador de un White Castle, pidió un zumo de naranja; hacía demasiado calor para tomar otra cosa, aunque el calor no le molestaba, porque Nueva York, con aquel clima, abandonada por la mitad de su población, parecía pertenecerle tanto como a cualquier otro habitante. Mientras aguardaba el zumo, se remangó el puño de la camisa y examinó un tatuaje reciente y punzante que le ro-

116

deaba la muñeca como una pulsera. Se lo habían tatuado la noche anterior, vagabundeando por las calles con Gump; Gump y sus malditos canutos, si se fuma un par de porros se le pasa alguna genialidad por la mollera, como por ejemplo: conozco a un tipo que te hará gratis un tatuaje fabuloso. Gump conocía a algunos tíos así, y aquél vivía en un apartamento sin agua caliente en Paradise Alley, y vivía solo con seis gatos siameses y una pitón disecada que se llamaba Mabel: ¡oh, mis queridos chicos, deberíais haber conocido a esta vieja madre en aquellos tiempos en que Mabel estaba viva! Qué par de sarasas locas éramos, tan alegres, tan divertidas, nos adoraba todo el mundo, varios reyes y todas las reinonas, ja, ja, sí, actuábamos juntas en todo el mundo, bailando sin parar, doce semanas nada menos en Londres, Waldo y Sinistra, Sinistra era el nombre artístico de Mabel, la pobrecilla, estaría viva en este mismo instante de no ser por esas asquerosas compañías aéreas, de verdad que dan náuseas; pues veréis, no querían admitir a Mabel en el avión, estábamos en Tánger y teníamos que volar sin falta a Madrid, conque lo que hice fue enrollármela en el cuerpo y ponerme un abrigo encima; todo fue bien hasta que en algún lugar del cielo español empezó a apretar, sé cómo se sentía la pobre criatura, se estaba asfixiando, pero fue un auténtico calvario, Mabel apretaba cada vez más hasta que acabé desmayándome, con lo cual la partieron en dos con un cuchillo, dijeron que era

117

la única manera de salvarme, ¡los muy carniceros! Ah, bueno..., ¿una bandera, una flor, el nombre de tu novia? No te va a doler ni pizca. Pero sí le había dolido: G-R-A-D-Y, las letras de su nombre, azules y rojas y unidas con una raya, seguían ardiendo y se compró un frasco de aceite para bebés, y se masajeó con él la muñeca, sentado en la imperial descubierta de un autobús que subía por la Quinta Avenida. Se apeó cerca del museo Frick; echó a andar hacia el centro por la acera del parque, debajo de los árboles, rastreando con los ojos los cuadrados de piedra, una antigua costumbre cuya finalidad era buscar objetos perdidos, dinero: en dos ocasiones había encontrado sendos anillos, y una vez un billete de veinte dólares, y hoy se agachó para recoger una moneda de cinco centavos; al erguirse miró a la acera de enfrente, y estaba donde quería estar, delante del edificio de apartamentos de los McNeil.

Mira a Culogordo: el portero, con su levita de faldones y sus guantes de algodón, ¿quién se cree que es el cabronazo, dándose aires como una paloma? Ah, no, señor, la señorita McNeil no está en casa, ah, no, señor, me temo que no ha dejado ningún mensaje. Pero no se atrevió a encararse con el portero; lo único que hizo fue escupir a espaldas del cabrón. Volvió a cruzar la calle y caminó de un lado para otro bajo los árboles, alzando los hombros. Entonces vio al pequeño Leslie, el ascensorista, un querubín de mejillas sonrosadas y boca almibarada; salió disparado hacia

118

la sombra de los árboles: eh, oiga, dijo, con los ojos furtivamente llenos de amor, yo sé dónde está ella, pero no le diga a *él* que se lo he dicho, y dijo que el portero enviaba el correo de la señorita McNeil a la casa de su hermana en East Hampton. Pareció ofendido cuando Clyde le ofreció medio dólar. ¿Qué quieres entonces, que te dé un beso?, dijo Clyde, y el pequeño Leslie, retrocediendo, dijo, con violencia: ¿por quién me toma?

Había pensado que se volvería loco, allí solo en la superficie deslumbrante de grava abrasada por el sol, y en una tarde que era como una burbuja grasienta que no reventaría nunca, pero Gump apareció con un puñado de auténticos puros habanos y una botella de ginebra. Gump estaba de vacaciones y se sentaron en la garita del parking a disfrutar del tabaco y la bebida y a jugar a las cartas. Clyde no lograba concentrarse en la partida, y después de perder veintidós bazas consecutivas tiró los naipes y se apoyó en la entrada, enfurruñado; surgieron sombras vespertinas, se balancearon, vio que la noche se le avecinaba y dijo: oye, ¿quieres hacer un viajecito conmigo? Porque tenía miedo de ir solo.

Todo esto perduraría, aquellas olas, aquellas rosas de mar que arrojaban pétalos secados por el sol sobre la arena; si muero, todo esto continuará: y le disgustó que continuara. Se levantó de entre las dunas y se cubrió con un pañuelo los muslos y después dejó que se deslizara al suelo, porque no había nadie para ver que estaba desnuda. Era una playa vulgar, sin profesionales, groseramente extensa y sembrada de viejos huesos de madera vomitados por las aguas. La gente mayor, que prefería la playa del club, nunca visitaba aquélla, aunque algunos, como Apple y su marido, habían construido casas a lo largo de la costa. Todas las mañanas, después de desayunar, Grady llenaba una tartera y se quedaba escondida entre las dunas hasta que el sol empezaba a ponerse en el horizonte y la arena se enfriaba. A veces se quedaba en la orilla y dejaba que la espuma le bañase los tobillos. Ni siquiera había desconfiado del agua, pero ahora, cada vez que quería zambullirse entre las olas, se imaginaba que escondían dientes, tentáculos. Del mismo modo que no se atrevía a adentrarse en el agua, no podía franquear el umbral de una habitación concurrida: Apple se había cansado de decirle que conociera a gente; dos veces se habían peleado al respecto, y sobre todo en una ocasión en que Grady, que estaba ya completamente vestida para un baile en el club Maidstone, cambió de idea y se negó a ir, y Apple dijo, creo que lo mejor es que te vea un médico, ¿no te parece? Grady habría podido responder que ya la había visto: el doctor Angus Bell, un primo de Peter que ejercía en Southampton. Después, pensó que había conocido la verdad antes de que fuera posible conocerla, teniendo en cuenta que estaba embarazada de menos de seis semanas. Había encontrado en la casa un tratado médico y por la noche, encerrada en la habitación de invitados, examinaba los retratos de embriones horripilantes, cerrados como puños, las venas como de encaje, la piel como un velo, los ojos coagulándose, fetos que, hechos un ovillo, como si durmieran, le llegaban hasta las raíces del corazón. ¿Cuándo? ¿En qué momento? ¿La tarde en que llovió? Estaba convencida de que había sido entonces, y era con mucho lo mejor: acostada a salvo de la lluvia fría y oscura, y Clyde que retiró las mantas a patadas para reunirse con ella con una suavidad más suave que un párpado que se cierra. Si me muriera (en Greenwich había oído hablar a menudo de Liza Ash, la idolatrada Liza que se sabía la letra de todas las canciones: y Liza Ash había muerto desangrada en unos urinarios del metro), todo esto seguirá existiendo sin mí. Conchas de mar en la marea, barcos que zarpan y que se alejan.

O que se acercan. Según una carta que acababa de recibir Apple, su madre y *tu pobre padre* zarpaban de Cherburgo el 16 de septiembre, lo cual quería decir que estarían en casa dentro de menos de un mes: *Dile a Grady que, por favor, llame a la señora Ferry para que venga del campo porque seguro que lo ha dejado todo manga por hombro —Dios sabe que debería haberle dicho a Ferry que se encargara—, porque no vamos a soportar otro caos después de haber visto cómo nos dejaron esos alemanes la casa de Cannes, de lo más in-*

creíble, y dile también a Grady que el vestido le ha que-
dado más maravilloso que un sueño, algo de lo más in-
creíble.

A la larga llega un momento en que uno se pregunta: ¿qué he hecho? Para ella había llegado aquella
mañana a la hora del desayuno, cuando Apple, al leer
la carta en voz alta, mencionó lo del vestido; olvidan-
do que ella no lo quería, y recordando sólo que ya
nunca se lo pondría, bajó la escalera de una nueva y
misteriosa congoja: ¿qué he hecho? El mar preguntaba lo mismo, las gaviotas ansiosas lo corearon. La
mayor parte de la vida es tan tediosa que no vale la
pena comentarlo, y lo es a todas las edades. Cuando
cambiamos nuestra marca de cigarrillos, nos muda-
mos a otro vecindario, nos suscribimos a un periódico distinto, nos enamoramos o desenamoramos, es-
tamos protestando de un modo tan frívolo como
profundo contra el tedio indisoluble de la vida coti-
diana. Por desgracia, nuestro espejo es tan pérfido
como cualquier otro, y refleja en algún punto de cada
trayectoria la misma cara vanidosa insatisfecha, y por
eso cuando Grady se pregunta ¿qué he hecho?, en realidad quiere decir, como nos suele ocurrir, ¿qué estoy
haciendo?

El sol perdía fuerza y recordó que el hijo de Apple iba a celebrar una fiesta de cumpleaños para la
cual ella, oh, Dios, le había prometido organizar juegos. Se puso el bañador y estaba a punto de salir a la
playa abierta cuando vio dos caballos que cabalga-

ban a medio galope por el rompiente somero. Los montaban un joven y una hermosa chica con una melena negra al viento; Grady los conocía, había jugado al tenis con ellos el verano anterior, pero no acertaba a recordar sus nombres, los P no-sé-cuántos, miembros del grupo más joven de maníacos: bastante encantadores, sobre todo la esposa. Cabalgaban playa arriba, fundiendo las voces en una algarabía jubilosa, y volvieron con estrépito, reluciendo como cristal sus monturas empapadas. Desmontaron no muy lejos de donde ella yacía escondida, soltaron a los caballos para que retozasen y escalaron las dunas para precipitarse con una risa amorosa a una cala de hierba alta: reinó el silencio entonces, las gaviotas planeaban insonoras, la brisa marina estremecía la yerba y Grady los imaginó acurrucados juntos, protegidos por un mundo que les quería bien. La maldad la incitó a dejarse ver. Se levantó y pasó directamente por delante de ellos, y su sombra, que les rozó como un ala, pretendió aguarles el placer. No lo logró, pues los P no-sé-cuántos, a quienes la buena voluntad tornaba inocentes, no se percataron ni siquiera de una sombra. Corrió por la playa, espoleada por la victoria de la pareja, porque sentía que a través de ella había visto lo tolerable que podía ser el futuro, y al subir la escalera que llevaba de la playa a la casa hizo el descubrimiento inesperado de que le apetecía estar con los niños y celebrar el cumpleaños.

En lo alto de la escalera topó con Apple, que parecía a punto de bajarla. El encuentro las sorprendió y se separaron, mirándose con brusquedad. Grady dijo:

—¿Cómo va la fiesta? Siento llegar tarde.

Pero Apple, atornillándose un pendiente con una precisión mezquina, que parecía sugerir que el encontronazo había tenido la culpa de que se le desprendiera, la miró como si no pudiese ubicarla, como si, de hecho, tuvieran que presentarlas. Esto obró en Grady el doble efecto de ponerla en guardia y desanimarla.

—De verdad, siento llegar tarde. Déjame subir a ponerme un vestido.

Apple la entretuvo diciendo:

—¿No has visto a Toadie en la playa? —Toadie: un apodo espantoso para su marido—.[1] Ha salido a buscarte.

—Debe de haber ido por otro camino. Pero ¿no es un poco tonto que haya ido a buscarme? Prometí que volvería para ayudar en la fiesta.

—No te preocupes por la fiesta —dijo Apple, y un temblor inquietante le torció las comisuras de la boca—. He mandado a los niños a su casa; el pequeño Johnny está llorando a moco tendido.

—No será por mi culpa —dijo Grady, insegura, aguardando—. Dime: ¿por qué me estás asustando?

1. Pelota, adulador. *(N. del T.)*

–¿Yo? Yo habría dicho que es al revés, o sea: ¿por qué me asustas tú?

–¿Qué?

Entonces Apple habló claro; dijo:

–¿Quién es Clyde Manzer?

Un lirio arrancado de un tallo, cerca del sendero, se desgarró en las manos de Grady y sus pétalos de colores se desperdigaron como entradas de teatro desechadas. Tardó un largo rato en contestar:

–¿Por qué quieres saberlo?

–Porque no hace ni veinte minutos que me han dicho que es tu marido.

–¿Quién te ha dicho eso?

–Él –se limitó a decir Apple, pero su carita guapa se había tornado de pronto desdichada–. Ha venido desde la ciudad en un taxi; le acompañaba otro chico y Nettie los ha hecho pasar, supongo que pensando que tenían algo que ver con la fiesta...

–Y le has visto –dijo Grady, en voz baja.

–El más bajo ha preguntado por ti y yo le he dicho: ¿eres amigo de mi hermana?, porque la verdad me parecía que no podías conocerle, y él entonces me dice, no, no somos amigos, pero soy su marido.

Hubo un intervalo, el rumor de las olas acompasó el silencio y después, mientras las dos evitaban la mirada de la otra y la posaba en los pedazos del lirio roto, Apple preguntó si era verdad.

–¿Que no somos amigos? Supongo.

–Por favor, querida, no estoy enfadada, de verdad que no, pero tienes que decírmelo: ¿qué has hecho?

Qué has hecho, qué he hecho, como un eco en una cueva que lo convierte todo en un disparate. Habría preferido, con mucho, que alguien tuviese un berrinche, las típicas reacciones que estaba dispuesta a afrontar.

–Pero qué idiota eres –dijo, impostando una risa asombrosamente natural–. Es una de esas bromas sin gracia de Peter; Clyde Manzer es un amigo suyo de la universidad.

–Sería una idiota si te creyese –dijo Apple, hablando como su madre–. ¿Crees que por una broma iba a echar a perder el cumpleaños de Johnny? Ese chico, desde luego, no es un compañero de estudios de Peter.

Grady encendió un cigarrillo y se sentó en una roca.

–Pues claro que no. En realidad, Peter no le ha visto nunca. Trabaja en un parking y le conocí allí en abril; nos casamos hace menos de dos meses.

Apple subió un trecho del sendero. Parecía que no hubiera oído, aunque poco después dijo:

–Nadie lo sabe, ¿verdad? –Vio cómo Grady negaba con la cabeza–. Entonces no hay razón para que se sepa. Está claro que no es legal, no tienes dieciocho, veintiún años, lo que sea. Seguro que George estará de acuerdo en que no es legal; no hay que perder la cabeza, él sabrá perfectamente lo que hay que hacer.

126

Su marido les saludó con la mano desde la playa y ella corrió a la escalera, gritando su nombre.

Detrás de George, Grady vio a los caballos: partiendo con los cascos el rompiente, espléndidos como caballos de circo; y al recordar las promesas que representaban agarró a Apple por la muñeca.

—¡No se lo digas! Dile sólo que es una broma de Peter. Oh, escúchame, necesito disponer de las próximas semanas, por favor, Apple, dámelas.

Se agarraban las dos, equilibrándose, y Apple susurró: «Suelta», como si hubiera perdido la voz.

—Quítame la mano de encima.

Pero cuando Grady intentó soltarla, descubrió que en realidad era Apple la que la sujetaba, y se retorció en aquel cerco, asfixiada por la conciencia de la escena que se cernía sobre ella: los caballos avanzaron, George estaba ya en la escalera, a Clyde lo presentía no muy lejos.

—Apple, te lo prometo, tres semanas.

Apple se separó de ella y se encaminó hacia la casa:

—Te está esperando en el molino de viento —dijo, sin mirar atrás. Una bruma se había alzado sobre el agua y los caballos, apenas visibles, la hendían como pájaros.

Una camarera, con un delantal de calicó estampado de molinos de viento, depositó dos cervezas en la mesa y encendió una lámpara.

–¿Los caballeros cenarán aquí?

Gump, que se cortaba las uñas con una navaja, escupió hacia ella un fragmento de uña.

–¿Qué hay de cenar?

–De entrada, tenemos ostras de Cape Cod o gambas al estilo de Nueva Orleans o sopa de almejas Nueva Inglaterra...

–Tráiganos la sopa –dijo Clyde, sólo para que ella se callase. A Gump le daba lo mismo, había pasado un buen rato hojeando tebeos y tonteando con chicas en el perezoso tren de cercanías de Long Island que les había llevado hasta allí; pero Clyde hizo todo el trayecto como si viajara en una montaña rusa. En una de las paradas del recorrido, una mariposa se coló por la ventanilla abierta; la atrapó con una bolsa de caramelos de menta y ahora la bolsa estaba encima de la mesa: era un regalo para Grady.

Sonó una campana cuando ella cerró la puerta y vio la cara de Clyde, más enjuta, menos maciza, un destello en la luz; alguien a quien nunca había visto le estrechó la mano: Gump, un chico larguirucho, con manchas en la piel y una camisa chillona de verano con vibrantes bailarines de hula-hula, y notó en la mejilla la aspereza de la barbilla sin afeitar de Clyde.

–Ya sé, ya sé –dijo, evitando el susurro conciliador de Clyde–. No hablemos de eso ahora; aquí no.

–Eh, ¿quién va a pagar esto? –gritó la camarera, balanceando los cuencos de sopa, y Gump, al salir detrás de Clyde y Grady, dijo:

128

–Mándame la cuenta, encanto.

Cupieron los tres en el asiento delantero del coche de Grady. Clyde conducía y ella se sentó en el medio. El perfil tenso de Grady no alentaba la charla, y viajaron en silencio; el coche dejaba una estela de tensión en las curvas cerradas. No era que ella pretendiera mostrarse fría; más bien no pretendía nada y sentía poco, salvo, quizá, una apatía decaída, plana. Una luna anaranjada se alzaba como un dirigible, y señales de tráfico, tachonadas de cristal que saltaba ante los faros como unos ojos de gato, decían NUEVA YORK 98 MILLAS, 85.

–¿Tienes sueño? –dijo Clyde.

–Oh, muchísimo –dijo ella.

–Tengo lo que hace falta –dijo Gump, y se vertió en la mano el contenido de un sobre, alrededor de una docena de colillas–. Sólo colillas, pero nos despertarán.

–Vamos, Gump, guarda eso.

–Vete a la mierda –dijo Gump, y encendió una–. Mira –le dijo a Grady–, tienes que hacer así. –Tragó el humo como si fuera algo comestible–. ¿Quieres una calada?

Como una paciente adormilada que nunca cuestiona lo que le lleva la enfermera, Grady cogió el cigarrillo y lo retuvo hasta que Clyde se lo quitó de la boca; ella pensó que él iba a tirarlo, pero se lo fumó él.

–Ya lo has captado; para un colocón, la receta del doctor Gump.

Repartió de nuevo las colillas, una a cada uno, y alguien encendió la radio: *Están escuchando un programa de música grabada.* Saltaron chispas de ceniza y la cara se les puso tersa como la luna joven. *Vámonos en kayak a Quincy o Nyack, / vámonos lejos de todo.*

—¿Te sientes bien? —dijo Gump, y ella le dijo que no sentía nada, pero se le escapó una risita, y él dijo—: Lo estás pasando bien, cariño, mantente arriba.

Clyde dijo entonces:

—He olvidado tu regalo, un regalo que te había traído, una mariposa en una bolsa de caramelos.

Y eso hizo estallar a Grady: como las burbujas de un pez al respirar, las risitas crecientes reventaron en una carcajada y, al reírse, sacudió la cabeza de un lado para otro:

—¡No, no! Es graciosísimo.

Nadie sabía muy bien qué era tan chistoso, pero los tres se desternillaban; Clyde, por ejemplo, apenas podía mantener el coche en la carretera. Un chico montado en una bicicleta se escoró ante la embestida de los faros y se estrelló contra una valla. Pero la risa no habría cesado aunque hubieran matado al chico de la bici: tan hilarante era todo. El pañuelo que llevaba Grady se le desprendió del cuello y se perdió en la oscuridad; y Gump sacó el sobre de antes y dijo:

—Vamos a fumarnos otro.

Una neblina roja, votiva, se cernía sobre Nueva

York, pero cuando cruzaron el puente de Queensboro, la ciudad, vista de pronto en toda su longitud,
estalló como una traca, y cada torre era un juego pi-
rotécnico de color anfetamínico, y Grady exclamó,
aplaudiendo la voluptuosa línea del horizonte:

–¡Quiero bailar! ¡Descalzarme y bailar!

El Paper Doll es un tugurio, un cajón de sastre
situado en una calleja a la altura de la calle Treinta
y pico este, y Clyde les llevó allí porque era el club
donde Bubble trabajaba de camarero. En cuanto les
vio entrar, les abordó, mascullando:

–¿Estáis locos? Sácala de aquí. Está emporrada.

Pero Grady no tenía intención de marcharse, le
gustaron el neón insomne, las caras insolentes, y Clyde
tuvo que seguirla a la pista de baile, que era demasiado pequeña y destartalada para bailar: no hicieron más
que agarrarse.

–Tantos días. Pensé que me habías plantado
–dijo él.

–No se planta a la gente; se planta a uno mismo –dijo ella–. Pero ahora, ¿todo bien?

–Sí, todo va bien ahora –dijo él, y dio un par de
pasos cautelosos. Era curioso el trío que tocaba para
ellos: una china joven y sedosa (piano), una mujer
de color que miraba con aire respetable a través de
unas gafas de acero de maestra de escuela (batería) y
otra negra alta, de una negrura intensa, cuya cabeza
lustrosa y espléndida temblaba bajo el verde pálido
de una luz cenital (guitarra). No había diferencia

entre las canciones, porque la música sonaba toda igual, gelatinosa, jazzística, reprimida.

—No te apetece bailar más —dijo Clyde, cuando el trío redondeó una serie.

—Sí, sí; no me voy a casa —dijo ella, pero se dejó llevar hasta el rincón donde Gump había conseguido una mesa.

La guitarrista se les unió.

—Soy India Brown —dijo, extendiendo la mano hacia Grady. El tacto de la mano era como el de un guante caro, pero los dedos eran gruesos y largos como plátanos—. Bubble dice que tengo que llevarte a que te empolves la nariz.

—Bubble bubble bubble —dijo Grady.

La chica de color se apoyó en la mesa; sus ojos eran como fragmentos de cuarzo oscuro, y se le empañaron, desestimando a Grady; con una suave voz conspiradora dijo:

—No es asunto mío lo que estéis haciendo, chicos. ¿Pero veis a aquel gordo, hacia el final del mostrador? Tiene este local fichado; sólo está esperando la oportunidad de ponerle un candado. El menor ruido de una nena como *ella* y nos cierran el garito. Sin bromas.

¿Ruido? Un sonsonete afloró a la cabeza de Grady, y sus ojos se posaron en el hombre gordo: él la contemplaba por encima del borde de un vaso de cerveza. De pie a su lado había un joven bronceado, con un traje de lino indio de buen corte, que cruzó la sala con sigilo y una bebida en la mano.

–Recoge tus cosas, McNeil –dijo, como si hablara desde una gran altura–. Ya es hora de que alguien te lleve a casa.

–Oiga, amigo, vamos a arreglar esto –dijo Clyde, levantándose a medias.

–Es Peter –dijo Grady; al igual que mucho de lo que estaba ocurriendo, que Peter estuviese allí no le pareció ilógico, y le reconoció como si fuera inmune a la sorpresa–. Peter, querido, siéntate; te presentaré a mis amigos, sonríeme.

–Más vale que te lleve a casa –se limitó a decir Peter, y cogió de la mesa el bolso de Grady. Un camarero que llevaba una bandeja de bebidas retrocedió, y Bubble se recostó en la barra, con la boca como una O electrizada: el estrépito lejano de un paso elevado estremeció la sala revestida de oropel. Clyde rodeó la mesa: no era un combate igualado, pues Peter, aunque más alto, no tenía músculos ni el temperamento belicoso de Clyde; y, aun así, Peter afrontó la apreciación calibradora de su rival y le miró, a su vez, preparado y deseoso. Clyde lanzó la mano con la rapidez con que acomete una serpiente; agarró el bolso y lo depositó al lado de Grady, que, en ese mismo momento, vio la muñeca al descubierto de Clyde.

–Te has herido –dijo, con una voz apenas audible, y tocó las letras de su nombre tatuadas en carne viva–; por mí –dijo, alzando los ojos, primero hacia Clyde, a quien no veía, y después hacia Peter, cuya cara blanca

133

y de una severidad insoportable pareció que se estuviera disolviendo—. Peter —dijo, con un tono extraño, y suspirando—. Clyde se ha herido. Por mí.

Sólo la chica negra se movió; rodeó a Grady con el brazo y juntas, tambaleándose un poco, fueron al tocador de señoras.

Mientras yo esté aquí, nada puede sucederme, pensó Grady, con la cabeza reclinada contra los pechos duros de la guitarrista.

—Me ha comprado una mariposa —dijo, hablando a un espejo moreno, descascarillado—. La ha traído en una bolsa de caramelos de menta.

—Hay una salida a la calle —dijo la guitarrista—: cruzando esa puerta y después la cocina.

Pero Grady respondió, sonriendo:

—Me ha parecido menta, porque sabía igual de dulce: tócame la cabeza, ¿no notas cómo vuela?

La apaciguaba que se la sujetara, calmaba el balanceo, suavizaba el sonido de caída en picado.

—Y a veces me vuela por otras partes, la garganta, el corazón.

Se abrió la puerta y la mujercilla de la batería, con un aire como de maestra lasciva, entró con insolencia, chasqueando los dedos.

—Todo en orden —vociferó—. Hooper ha largado a esos hijoputas, y hasta ahora no ha habido huesos rotos. No es culpa tuya —añadió, dirigiéndose a Grady—. Los drogotas como tú me tienen puteada con sus trapicheos.

134

Pero la guitarrista alisó con suavidad el pelo de Grady con sus dedos como plátanos y dijo:

–Oh, cierra el pico, Emma; ella no sabe de qué va este rollo.

La otra miró un largo rato a Grady:

–¿No sabes de qué va, cielo? ¡Y yo me lo creo!

En el bordillo había un marinero orinando; aparte de él, no había nadie en la calle, una calle de casas de piedra rojiza donde habían aparcado el coche; el coche, sin embargo, no estaba allí y Grady dio vueltas debajo de un farola, barajando posibilidades sobriamente: que lo habían robado o si no, ¿qué? Unas tuberías de ventilación, parte de alguna obra en la calle, escupieron lúgubres borbotones de vapor, y el marinero, envuelto en aquellas emanaciones, trastabilló sobre la acera. Grady huyó a la Tercera Avenida, donde la deslumbró la lenta oscilación de la luz cruda de unos faros de automóvil.

–¡Eh, tú! –gritó el conductor, y ella parpadeó: era su propio coche, con Gump al volante–. Claro que es ella –dijo él; después Grady oyó a Clyde:

–Date prisa, métela ahí contigo.

Clyde estaba en el asiento de atrás, y Peter Bell también: juntos, forcejeando el uno con el otro, parecían una criatura sólida de dos cabezas y con tentáculos: Peter, con el brazo inmovilizado a la espalda, encorvaba el torso, y su cara, sangrando y arrugada como papel de estaño, conmocionó tanto a Grady que algo se desató: gritó y fue como si aquel grito se

135

hubiera estado incubando durante meses, pero nadie la oyó, ni en el vacío pétreo de las calles que giraban, ni tampoco en el coche: Gump, Clyde, incluso Peter, estaban unidos por un éxtasis sordomudo; había júbilo en los demoledores puñetazos de Clyde, y cuando el Buick subió rechinando la Tercera Avenida y esquivó las columnas del ferrocarril elevado, sin hacer el menor caso de los semáforos en rojo, Grady tenía una mirada fija y silenciosa, como un pájaro aturdido por un choque contra paredes y cristal.

Porque cuando surge el pánico la mente se atasca como el cordón de apertura de un paracaídas: y uno sigue cayendo. Al doblar a la derecha en la Cincuenta y nueve, el coche entró derrapando en el puente de Queensboro; allí, más alto que los pitidos huecos del tráfico fluvial, y cuando la mañana que nunca habría de ver despuntaba en el cielo, Gump gritó:

—Maldita sea, vas a matarnos.

Pero no pudo despegar del volante las manos con que Grady lo aferraba; ella dijo:

—Lo sé.

136

EPÍLOGO

Para Truman fui, casi desde el principio, el *avvocato:* su abogado. Pero también fui su amigo. Cuando le conocí, en 1969, él tenía muchos amigos, tanto famosos como infames. Era, sin esforzarse nada, el mayor chismoso de su tiempo y muchísima gente acudía a él. Cuando murió, en 1984, en la casa de Joanne Carson en Los Ángeles, poco antes de cumplir sesenta años, le quedaban pocos amigos y había dejado que su ingenio se volviera venenoso y que la imaginación desfigurase la realidad hasta tornarla irreconocible. A lo largo de los años, unas veces con más éxito que otras, intenté rescatarle de numerosas relaciones poco recomendables y en ocasiones peligrosísimas. Durante esos mismos años, sobre todo hacia el final, tuve la triste tarea, a menudo desgarradora, de ingresarle en diversos centros de rehabilitación de drogas y alcohol, de los cuales siempre se escapaba, en general gracias a una historia muy amena e inverosímil.

La última vez que vi a Truman vivo fue en el restaurante enfrente de su apartamento, en la Plaza de las Naciones Unidas de Nueva York, donde con frecuencia comíamos juntos. Como solía hacer por entonces, llegó temprano y el camarero le puso delante lo que Truman afirmaba que era un vaso grande de zumo de naranja, pero que el camarero y yo sabíamos que era un vaso lleno hasta la mitad de vodka. Y no era el primero. Yo había concertado con él una cita bastante urgente porque el médico que le había atendido cuando se desmayó en Southampton, Long Island, me había llamado para decirme que si no dejaba de beber estaría muerto al cabo de seis meses, y que de hecho el cerebro se le había encogido. Informé directamente a Truman de este dictamen y le rogué que reanudara la rehabilitación y que dejara de tomar drogas y alcohol si quería sobrevivir. Él alzó los ojos y vi lágrimas en ellos. Posó la mano en mi brazo, me miró directamente a los ojos y dijo: «Por favor, Alan, deja que me vaya. Quiero irme.» No le quedaban más alternativas y los dos lo sabíamos. No había nada más que decir.

Truman nunca quiso hacer testamento. Al igual que otras muchas personas, le incomodaba pensar en ello. Sin embargo, a medida que su salud empeoraba conseguí hacerle comprender que tenía que hacer algo para proteger su obra después de muerto.

Al final accedió a redactar un testamento muy breve y sencillo que, tras nombrar legatario a su gran amigo y antiguo amante Jack Dunphy, legaba todo, incluidos sus derechos literarios, a un fideicomiso del que insistió en que yo fuese el único fiduciario. Dejó el encargo de que yo organizara un premio anual a la crítica literaria en memoria de su buen amigo Newton Arvin. Cuando le pregunté qué debía hacer con el resto del dinero, dijo que dudaba de que quedase algo, pero que en tal caso creara unas becas para escritura creativa en las universidades y residencias universitarias que yo eligiese. Fue inútil que le pidiera instrucciones más concretas. Me aseguró, muy a su estilo, que estaba convencido de que yo sabría lo que había que hacer y de que lo haría mejor que él.

Desde su muerte, y con la ayuda inestimable de mi mujer, Louise, he procurado cumplir los deseos de Truman y actualmente hay becas Capote en universidades como las de Stanford, Iowa, Xavier y Appalachian State, todas dedicadas a propiciar la aparición prometedora de nuevos y brillantes Capotes, dotados de una voz y una energía singulares.

Desde la muerte de Truman, y en mi calidad de fiduciario del Legado Literario de Truman Capote, he tomado decisiones referentes a la publicación y explotación de sus obras en diversos medios de co-

139

municación de todo el mundo. Hasta la resurrección de *Crucero de verano*, a finales de 2004, mi decisión más ardua había sido publicar en forma de libro los tres capítulos de la que habría de ser la siguiente novela importante de Truman, *Plegarias atendidas*. Entre sus muchos otros talentos, Truman poseía el de gran mistificador, y a menudo era muy difícil saber si hablaba de hechos o de ficción. A medida que su salud y sus facultades se fueron deteriorando, mistificaba cada vez más, sobre todo en lo relativo a su producción literaria. A raíz del enorme éxito de *A sangre fría*, pude negociarle contratos muy ventajosos con su editor, Random House, para la publicación de sus libros siguientes. La estrella de este firmamento sería una novela titulada *Plegarias atendidas*, obra que le encantaba describirnos con detalle a su redactor editorial Joe Fox y a mí, siempre que podíamos tomar copas o cenar juntos. Sería una novela intrincada, exuberante, ingeniosa y malévola, narrada desde el punto de vista de un personaje inolvidable que en muchos aspectos le recordaba a sí mismo. Por emplear su propia descripción, iba a ser una cometa con una larga cola compuesta de muchos capítulos, algunos de cuyos títulos susurraba con un tono de máxima confidencia a nuestros oídos fácilmente seducidos. Sí, lo estaba escribiendo –sí, lo cierto era que ya había escrito la mitad del libro–, sí, pronto estaría acabado... Y los años pasaban y yo renegociaba y revisaba los contratos.

140

A veces había esperanza. Tres capítulos se publicaron en revistas. Pero después no nos dio nada más. En diversas ocasiones nos aseguró que la novela estaba ya preparada para su envío, que estaba lista para la edición, que estaba casi terminada o al menos terminada en parte. Y entonces se murió.

Nunca olvidaré las muchísimas horas que pasamos Joe Fox, Gerald Clark, el biógrafo de Truman, y yo tratando de encontrar el resto de aquel trascendental manuscrito. Registramos el apartamento de Truman y su casa de Bridgehampton, preguntamos a la gente con quien había vivido. Exploramos las teorías de amigos bienintencionados: todo en vano. Y entonces comprendimos. No había nada más. El gran mistificador simplemente había engañado a sus amigos y aliados más cercanos. No había más por la sencilla razón de que no escribió más.

Aunque Joe no vive ya para atestiguarlo, tengo la seguridad de que habría convenido conmigo en que los dos nos sentimos engañados y en cierto modo dolidos, pero que, quién sabe, quizá en su delirio Truman pensaba de verdad que había escrito el resto de esta novela, que la había puesto a buen recaudo y que sus dos padrinos, como nos llamaba, la encontrarían y sacarían a la luz pública en todo su esplendor.

Finalmente Joe Fox propuso que los tres capítulos de *Plegarias atendidas* se publicasen en forma de libro. Razonó que los tres ya se habían publicado

141

en revistas, que estaban muy bien escritos y que de un modo extraño se las apañaban para componer una estructura, si no coherente, cuando menos sólida. En aquel entonces rumié largo tiempo y a fondo esta propuesta; al fin y al cabo, desde luego Truman no nos había encargado a Joe ni a mí ni a ninguna otra persona que publicásemos sólo una primera parte de lo que se suponía que era una novela larga. Sin embargo, aquellos textos eran los últimos publicados por Truman, y de hecho uno de ellos, «La Côte Basque», una descripción apenas novelizada de algunos de los más próximos amigos célebres de Truman, constituyó un hito histórico de su posterior caída. Demostró ser un texto demasiado sanguinario para que sus amigos lo soportaran. No sólo le dieron la espalda, sino que para entonces él estaba tan deteriorado que también se volvió contra sí mismo. Convinimos en que había que publicar el libro, y apareció en 1987.

Esta decisión resultó ser la fácil. Una mucho más difícil surgió a finales de 2004 y se prolongó hasta principios de 2005. En el otoño de 2004 recibí una carta de Sotheby's en Nueva York declarando que les habían entregado, para subastarlo, un tesoro de objetos personales de Capote, entre ellos manuscritos de obras publicadas, muchas cartas, fotografías y lo que parecía ser una novela inédita. Ninguno de nosotros tenía conocimiento de la existencia de estos documentos. Sotheby's explicaba que una persona anónima afirmaba que su tío había sido el cuidador de una casa de Brooklyn Heights, en cuyo sótano Truman había vivido en un apartamento alrededor de los años cincuenta. Afirmaba que Truman, a la sazón ausente, había decidido no regresar al apartamento y había dado instrucciones al superintendente del inmueble de que sacara a la calle, para que lo recogiese el camión de la basura, todas las pertenencias que quedaban en el piso. Según esta versión, cuando el superintendente vio lo que habían hecho, pensó que no podía consentir que desecharan todo aquel material y optó por guardarlo. Ahora, cincuenta años más tarde, este caballero había muerto y un pariente suyo había entrado en posesión de todo aquello y quería venderlo.

Comprendí de inmediato que Sotheby's quería que yo, como fiduciario del Legado Literario de Truman Capote, no sólo autenticase el material, sino que les autorizara a venderlo. El catálogo que envió la casa de subastas enumeraba los objetos y adjuntaba fotografías de algunos de ellos. Incluía una de una página o dos de un manuscrito inédito, contenido en un libro de redacción que Truman utilizaba para escribir.

Mi fuente más fidedigna de información sobre el Truman anterior al que yo había conocido era su biógrafo Gerald Clarke. No sólo había escrito una biografía luminosa, sino que también conservaba archivos meticulosos de sucesos de la vida de Truman. De hecho, Random House acababa de publicar una colección de cartas que fueron editadas por Clarke y a las que me remitió. En ellas, Truman habla de su trabajo durante algún tiempo con este manuscrito, una novela titulada *Crucero de verano*, hasta que resolvió aparcarlo. Aquí hay varias versiones. Hay algunas pruebas de que no quería que se publicase, pero en cartas posteriores a un amigo hay también indicaciones de que seguía pensándolo. Truman nunca me mencionó *Crucero* ni tampoco Gerald Clarke tenía una idea clara de lo que a la postre Truman quería hacer con el manuscrito. Y Joe Fox había fallecido en 1995.

Gerald Clarke fue a ver el material a Sotheby's y echó un vistazo a los diversos artículos del lote. Había, en efecto, cartas de la madre y el padrastro de Truman (una rareza, y un atisbo de lo que pensábamos que habían sido unas relaciones totalmente rotas). Había muchas, numerosas cartas a su querido amigo Newton Arvin, fotografías de Truman de joven, manuscritos anotados de algunas de sus obras tempranas y, por supuesto, lo que parecía ser el manuscrito completo de una novela titulada *Crucero de verano*.

El paso siguiente fue tener la ocasión de leerlo. Pedí a David Ebershoff, que había asumido las tareas de editar las obras de Truman en Random House, que consiguiera que Sotheby's hiciera una copia de la novela. Mientras esto ocurría tuve que obtener la garantía absoluta de que si Sotheby's subastaba aquellos documentos tenían que dejar muy claro a todos los posibles compradores que los derechos de publicación pertenecían al Legado Literario de Truman Capote y no se vendían como parte del lote. También quería cerciorarme de que todos aquellos documentos y recuerdos fueran a parar al lugar donde habían sido depositados todos los demás papeles, manuscritos y textos de Truman, es decir, la Public Library de Nueva York. Inicié conversaciones con la biblioteca y les pedí que examinaran el lote que iban a subastar con la esperanza de que lo compraran. Gerald Clarke también les apremió a hacerlo. Para garantizar que Sotheby's indicase claramente que los derechos de publicación pertenecían al Legado, les solicité que colocaran folletos en todos los asientos de la sala de subastas y asimismo que anunciaran antes de empezarla que lo único que se subastaba eran los documentos físicos, y que los derechos de publicación no estaban incluidos. Para cerciorarme, pedí a mi hijo John Burnham Schwartz, novelista por derecho propio y que conocía a Truman desde niño, que comprobase que todo estaba en orden en Sotheby's. La conclusión asombrosa de todo esto fue que al parecer nadie pujó en la subasta. Quizá lo expliquen un par de razones. La primera, que los precios fijados eran demasiado altos y, la segunda, que las advertencias respecto a la publicación pactados con Sotheby's desanimaron a los interesados.

Gerald Clarke, David Ebershoff y yo emprendimos una campaña para instar a la Public Library de Nueva York a que adquiriese aquellos documentos y los depositara en la colección permanente de Truman Capote. Por último, la biblioteca y Sotheby's llegaron a un acuerdo y me alegra decir que el lote se encuentra a salvo con los demás papeles de Truman para que los examinen los estudiosos y, de hecho, cualquiera que se interese por la historia literaria.

Leí el manuscrito de *Crucero de verano* con una gran emoción y cierto temor. Recordé que era muy probable que Truman no quería que se publicase esta novela, pero yo también albergaba la esperanza de que arrojase alguna luz sobre Truman como un joven autor antes de la época en que escribió su primera obra emblemática, *Otras voces, otros ámbitos*. Por supuesto, no confiaba en mi propio criterio. Por consiguiente, pedí a David Ebershoff y Robert Loomis, el editor principal de Truman en Random House, así como a Gerald Clarke y a mi mujer, Louise, que leyeran el manuscrito y compartieran notas. Es lícito decir que a todos nos deparó una grata sorpresa. Aunque no sea una obra redonda, refleja plenamente la aparición de una voz original y de un prosista de asombrosa maestría.

Desde luego, no me correspondía a mí enjuiciar su mérito literario. Al cabo de mucho debate, el ve-

146

redicto de los cuatro lectores fue que el manuscrito debía publicarse. Argumentaron que era una obra lo bastante madura que se sostenía por sí sola y que los indicios que contenía del estilo y dominio posteriores que cristalizaron en *Desayuno en Tiffany's* eran tan valiosos que no podían desdeñarse. Antes de tomar una decisión, pedí a mi amigo James Salter que asumiera la responsabilidad de una nueva lectura. Jim no sólo es un buen amigo mío, sino que está reconocido, en general, como uno de los estilistas en prosa más límpidos de mi generación. Jim tuvo la gentileza de aceptar la tarea y al cabo de poco tiempo me dijo que su veredicto coincidía con el de los otros cuatro jueces, más o menos por los mismos motivos. A mí me correspondía, pues, la decisión definitiva.

Como abogado, comprendo mejor que muchos las responsabilidades del fiduciario de un legado benéfico. Soy también muy consciente del enorme celo que cualquier fiduciario debe poner en sus decisiones. Sin embargo, no ocurre a menudo que un responsable jurídico o incluso un albacea literario se vea en la tesitura de decidir si publica o no un libro de un importante autor fallecido que, muy probablemente, él no hubiera publicado en vida. Truman murió en 1984. ¿Qué habría pensado ahora? ¿Habría tenido la perspectiva histórica y, en realidad, la lucidez de decidir lo mejor para su manuscrito? Después de mucho pensarlo, me pareció evidente que, en última instancia, la novela tenía que hablar por sí misma. Aun siendo imperfecta, sus sorprendentes méritos literarios parecían exigir una liberación de su cautividad previa. Se publicaría.

Quiero expresar mi agradecimiento a mis asesores y a todos los que han contribuido a la publicación de este libro. A la postre, por supuesto, la responsabilidad de esta decisión, en sus aspectos jurídico, ético y estético, es y tiene que ser exclusivamente mía. En esto tengo presente el irónico giro del destino que nos impidió publicar una novela que Truman creía que había terminado *(Plegarias atendidas)*, pero que nos permite publicar ésta, que lo más probable es que él no quería que se publicase. Mientras escribo esto veo a Truman, con su sonrisa picaruela, que agita un dedo hacia mí. «¡Eres un abogado pillín!», me está diciendo. Pero sonríe.

ALAN U. SCHWARTZ
Octubre de 2005

148

UNA NOTA SOBRE EL TEXTO

Esta primera edición de *Crucero de verano* procede del manuscrito de Capote, escrito en cuatro cuadernos escolares y sesenta y dos notas complementarias, un conjunto archivado en la colección Truman Capote de la Public Library de Nueva York. Los redactores han corregido silenciosamente todos los solecismos y faltas de ortografía. En los casos en que el significado del texto era dudoso, añadieron algún signo de puntuación como una coma e insertaron una palabra en unas pocas frases en que faltaba alguna. La preocupación primordial de los redactores ha sido reproducir fielmente el manuscrito del autor. Sus correcciones las justifica el propósito exclusivo de clarificar lo oscuro.

LOS DOCUMENTOS DE TRUMAN CAPOTE EN LA PUBLIC LIBRARY DE NUEVA YORK

El manuscrito de *Crucero de verano* se compone de cuatro cuadernos escritos a tinta y con abundantes correcciones hechas por la mano de Capote. Lo complementan sesenta y dos páginas de notas. El manuscrito y las notas forman parte de los Documentos de Truman Capote albergados en la sección de manuscritos y archivos de la Biblioteca de Humanidades y Ciencias Sociales de la Public Library de Nueva York. La mayoría de los documentos fueron donados por los herederos de Truman Capote a la Public Library de Nueva York en 1985; la institución realizó adquisiciones posteriores que complementan la colección, entre ellas el manuscrito de *Crucero de verano*.

Los documentos de Truman Capote constan de manuscritos ológrafos y textos mecanografiados de la obra publicada e inédita del autor, notas y otros materiales relacionados con las obras, los escritos de Capote cuando era estudiante de instituto, correspondencia, fotografías, materiales gráficos, heterogéneos documentos personales, textos impresos y álbumes de recortes.

La sección de manuscritos y archivos contiene más de tres mil colecciones de material de archivo, que datan desde el tercer milenio antes de Cristo hasta la actualidad. La sección se compone sobre todo de documentos y escritos de individuos, familias y organizaciones, en especial de la región de Nueva York. Estas colecciones, que datan del siglo XVIII y llegan hasta el XX, impulsan la investigación en la historia política, económica, social y cultural de Nueva York y Estados Unidos. Entre las colecciones más notables figuran los archivos del *New Yorker*, de la editorial Macmillan, la National Audubon Society, las Exposiciones Universales de Nueva York y documentos de personas tan diversas como Thomas Jefferson, Lillian Wald, H. L. Mencken y Robert Moses.

ÍNDICE

Impreso en Talleres Gráficos
LIBERDÚPLEX, S. L. U.,
crta. BV 2249, km 7,4 - Polígono Torrentfondo
08791 Sant Llorenç d'Hortons